「サラリーマン女子」、定年後に備える。

お金と暮らしと働き方

確定拠出年金アナリスト
大江加代

CONTENTS

はじめに

ひと昔前までは「定年」といえば男性のイメージでしたが、働き続ける女性が増え、皆さんの周囲にも、定年を迎えるサラリーマン女性が増えているのではないでしょうか。

リタイア後は、仕事の忙しさやストレスから解放されて自由を満喫できそうですが、「毎日が休日」となれば話は別。収入はなくなるし、「老人性うつ」になる人も少なからずいるそうです。充実した定年後を過ごせるように準備はしておきたいけれど、一体どこから手を付けていいか分からない…。そんなあなたは、「自分自身が好きなこと」をイメージできているでしょうか。

会社員として長く働くうちに、組織や職場で期待される自分を演じることに慣れてしまい、いつの間にか「本来自分がやりたかったこと」や「幸せを感じられること」にフタをする癖がついてしまっている人も。定年後に手に入れた自由な時間を輝かせるには、「本当に自分が幸せを感じられること」を見つけておく必要があります。「会社人間」から一歩踏み出す準備はできていますか？

まずは、左ページのリストで、自分の好きなことに意識を向けられているか確認。定年に向けた「ココロの準備度」をチェックしてみましょう。

CHECK LIST

自分がやりたいこと、好きなこと。普段からイメージできている？

当てはまるものをCHECK！

1. 10年以上続けている習い事がある、または
プロフィールとして挙げられる趣味や活動がある □

2. 最近、新しいことを始めた □

3. 1年といった長期の休みができれば欲しい □

4. 今の職業以外に、
仕事としてやってみたいことがある □

5. 実は副業をしている、
または、してみたいと思っている □

6. 日々コミュニケーションする相手は
仕事関連以外の人たちが半分以上 □

7. 行ってみたいところ、体験してみたいことが
5秒以内に具体的に挙げられる □

定年に向けたあなたの“ココロの準備度”は次ページへ！

定年に向けた「ココロの準備度」は？

○が0個の

やりたいこと

後回しさん

アドバイス

まず「好きなこと」から考えてみよう

「やるべきこと」を優先していたら、「やりたいこと」が分からなくなった…そんなあなたは、まずは「やりたいこと」を思いつくだけ、ノートに書き出してみよう。学生時代の友人に、自分がどんなことが好きだったのか聞いてみるのも手。

○が1〜2個の

やりたいこと

ボンヤリさん

アドバイス

「気になること」の情報を集めてみよう

ぼんやりとやってみたいことやイメージはある、というあなたは、OFFの時間を使って「やりたいこと」に一歩近づく努力をしてみよう。興味のあることにフォーカスすると、必要な情報も仲間も自然に集まってくる。

○が3個以上の

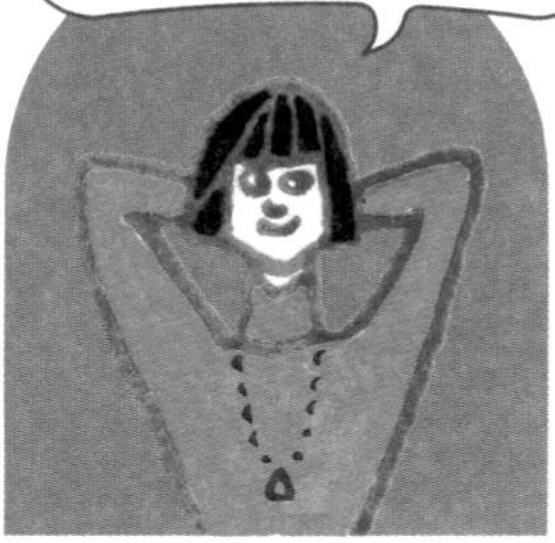

やりたいこと

チャレンジさん

アドバイス

定年後に向けた具体的準備を始めよう

趣味、勉強、ビジネスなど、やってみたいことが明確にあるあなたは、関連する講座などにどんどん参加しよう。イメージと合わなければ離れればよし。「これ！」と思うものがあれば、資金面も含めたプランニングに取りかかって。

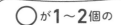

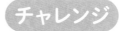

PART 1

「定年後」にいつから備える?

寿命が伸び、女性が過ごす「定年後」は約30年に。
あなたは、自分の定年後の暮らしをイメージできていますか?
お金の不安を解消し、充実した老後を送るために
現役時代から、少しずつ準備しておきましょう。

20代から老後までの「キャリア」と「お金」

人生100年時代、どうデザインする？

今を生きる70～80代の女性たちは、とても若々しく元気です。自分なりに日々楽しく、充実したシニアライフを過ごしているように見えます。

大切なのは、この「自分なりに」「楽しく」という点。**会社という組織にどっぷり漬かっていると、日々の業務や雑事に追われ、自分の「楽しい」や「好き」が見えなくなってしまいがちです。**

そこでイメージしておきたいのが、「お金」と「キャリア」のロードマップ（上）。40代以降は、自分を軸に仕事を捉え直し、シフトチェンジ。楽しみながら、長く働くことを模索していきましょう。**働くことは社会とのつながりを実感しやすく、刺激**

「お金」と「キャリア」のロードマップ

	20代	30代	40代
〈キャリア〉	稼ぐスキルを磨く		自分を軸に シフトチェンジを模索する
〈お金〉	コツコツ積み立てで 資産形成スタート ☑ 給与天引きで積み立てを始める ☑ 少額で投資にトライしてみる		iDeCo《イデコ》をフル活用し 老後資金の準備を本格化 ☑ ライフプラン・キャリアに関する社内の情報提供機会を活用する ☑ 退職金・年金について知り、将来もらえる老後資金を把握する

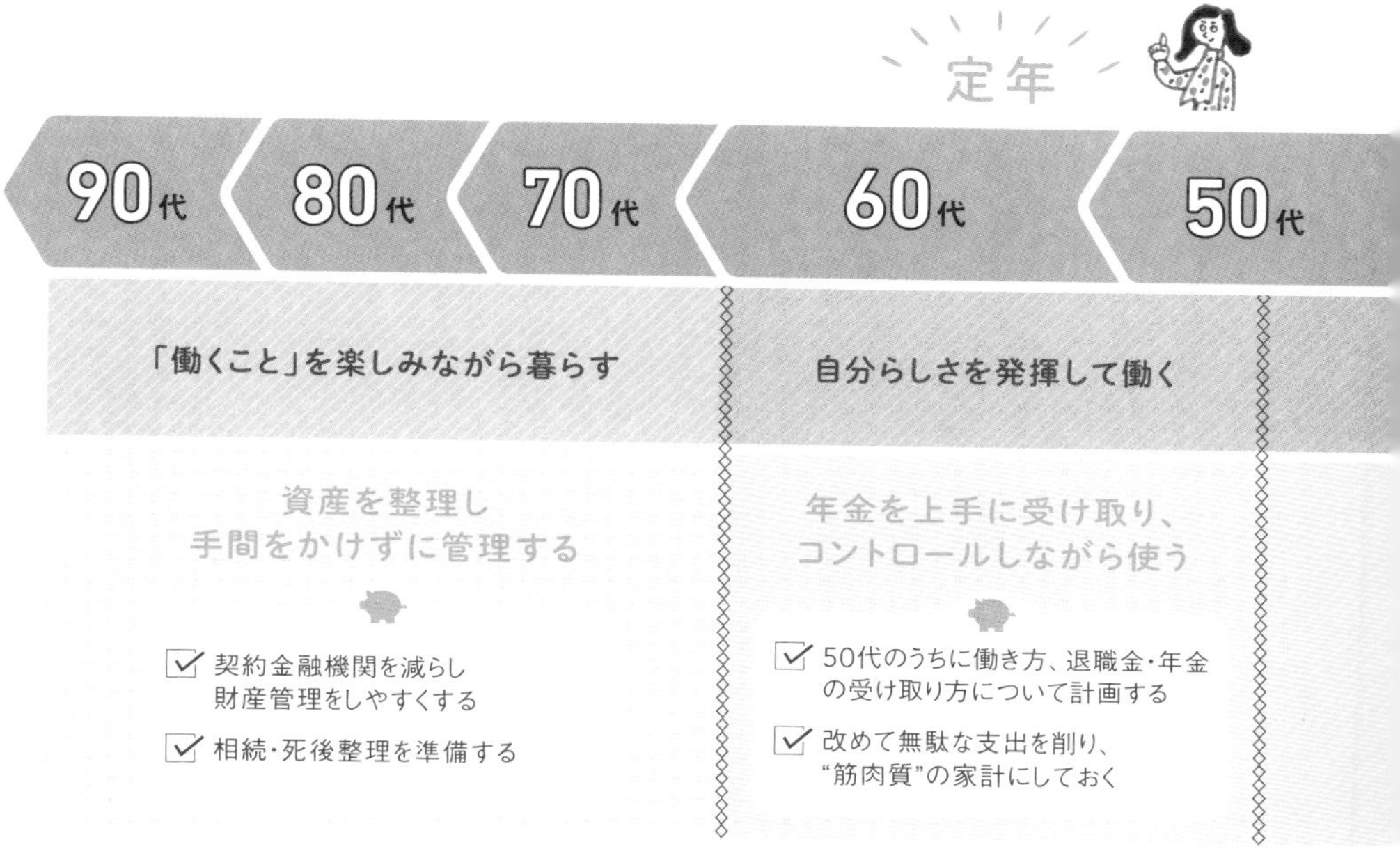
定年
90代
80代
70代
60代
50代
「働くこと」を楽しみながら暮らす
自分らしさを発揮して働く
資産を整理し
手間をかけずに管理する
年金を上手に受け取り、
コントロールしながら使う
契約金融機関を減らし
財産管理をしやすくする
相続・死後整理を準備する
50代のうちに働き方、退職金・年金
の受け取り方について計画する
改めて無駄な支出を削り、
"筋肉質"の家計にしておく

にもなるので、老後をイキイキと過ごせます。

また、年を取ると新たなチャレンジには臆病になりがちですが、背中を押してくれる要素の一つが「お金」。なるべく若いうちからコツコツ積み立てを行って、社内の福利厚生制度・国の社会保険制度をフル活用するのが資産形成への近道です。

まずは、自分がもらえる退職金や年金額を把握するところから始めましょう。 退職金や相続・資産整理についても早めに準備することで、納得のいく選択をすることができます。

PART 1

再雇用、転職、フリーランスの道も

定年後の働き方は主に5パターン

元気なうちは
働き続けて不安を解消

老後の不安は、主に「健康」「お金」「人や社会とのつながり」の3つ。このうち、現役世代が一番に挙げる心配は、「お金」です。人間にとって、衣食住を満たすことは根源的な欲求。経済的な余裕がなければ、やりたいことにもチャレンジできません。金銭の備えは、「自由を得るための必須事項」といえるでしょう。

定年後も働くことは、「お金」の不安を解消するだけでなく、「人や社会とのつながり」や「生きがい」といった、内面の欲求も一気に満たすことができるミラクルな解決法。「自分らしく世の中とつながる場」として仕事を続けること、また長く続けられるように働き方を変えることは、まさに「人生100年時代の処方箋《せん》」ではないでしょうか。世の中には多様な働き方があり、経験のあるシニアを求める職場も増えています。再雇用、転職、起業など、それぞれの働き方のメリット・デメリットを確認しておきましょう。

「定年後」の働き方をチェックしておこう

1

再雇用で 65歳まで働く

今の会社で65歳まで働くパターン。収入は安定していてマネープランを立てやすい一方、暮らし方に「マンネリ」も。

メリット

- ☑ 実現性が高い
- ☑ 収入、仕事内容、職場環境のすべてが想定できる

デメリット

- ☑ 「65歳までの雇用」が多いので、その後どうするかが課題
- ☑ 新たな仲間が生まれにくい

2

転職して バリバリ働く

新たな環境に転職して働く。収入は前職から落ちる可能性もあるが、能力＆結果次第でUPすることも。

メリット

- ☑ 能力を期待されているのでやりがいがある
- ☑ 収入は結果次第でプラスαも期待できる
- ☑ 新しい出会いがあり、人脈もつくれる

デメリット

- ☑ 前職で慣れた仕事の進め方は通じない
- ☑ 契約時点では分からない想定外の事態になることも

3

NPOなどに転職して社会貢献

一般企業ではなく、NPOなど社会貢献的な活動をする組織に所属。やりがいはあるが、収入はソコソコ。

メリット

- ☑ やりがいがある
- ☑ 一生ものとなる人との出会いや人脈が築けることも

デメリット

- ☑ 収入面はあまり期待できないことが多い

4

起業する

やりたいことがビジネスになるなら、起業するのも手。軌道に乗れば収入UPが見込めて「定年」がないのもメリット。

メリット

- ☑ やりたいことを仕事にできる
- ☑ 定年がなく自分が働きたい間、続けられる

デメリット

- ☑ ビジネスが軌道に乗らないと収入は期待できない

「お金の不安」を なくすことが 充実したリタイア生活の鍵

米国の心理学者、アブラハム・マズローによると、人間の欲求には下のように5段階あり、それぞれの欲求が満たされるごとに、1つ上の欲求を持つようになるそう。リタイア後をイキイキと過ごすには、①お金や健康、②人とのつながり、③生きがいの3つが大切だが、やはり土台に近い「お金」の部分が不安なままでは、チャレンジできない。現役時代の資産形成に加え、「働き続ける」ことでその不安は解消できる。また、働くことで人とのつながりや生きがいも得られ、“一石三鳥”だ。

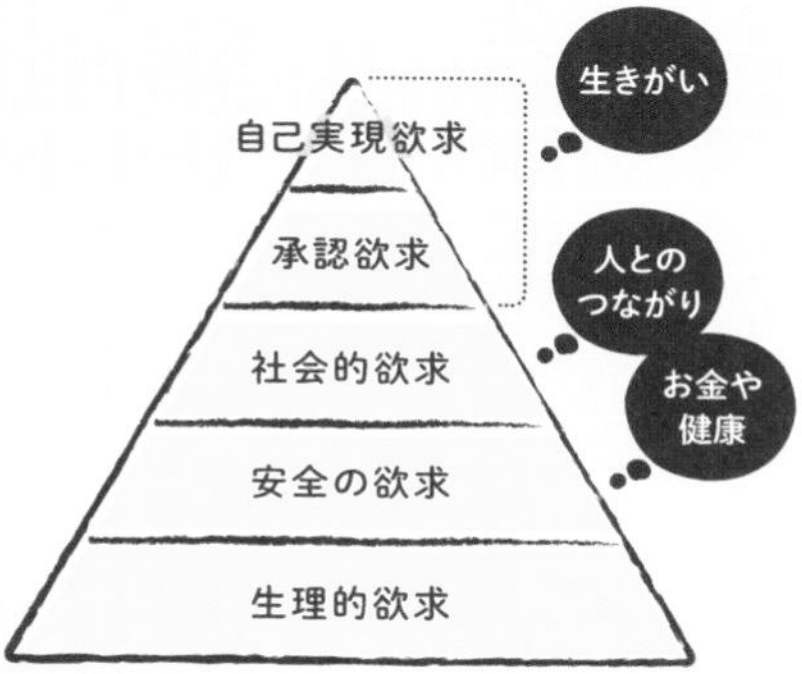

5

「趣味」を生かしたフリーランス

趣味と実益を兼ねた働き方。業務を委託してくれるクライアントが見つかるかが鍵。仕事がある限り、働き続けられる。

メリット

- 「好き」を極められ、非常に満足度が高い
- 共通の趣味を持った、一生ものの仲間ができる

デメリット

- 収入は期待できないことも多い

「出ていくお金」と「入るお金」の総額は？

老後の収支を「見える化」する

老後の収支を予想しておけば「準備するべきお金」が分かる

老後のお金の不安を解消するには、まず全体を「見える化」することが大事です。数年前に「老後２０００万円問題」が話題となったため、なんとなく「定年時に２０００万円が必要」とイメージする人が多いのですが、今かかっている生活費がさまざまであるように、老後の暮らしにかかるお金も人それぞれ。**１カ月15万円で暮らせる人と30万円かかる人では、老後に必要な金額が全く異なることは、容易に想像できるかと思います。**

収入も預貯金などの金融資産だけでなく、会社の退職金、さらに国からもらえる公的年金は一人ひとり違います。老後の暮らしに必要な支出と収入を棚卸しして差し引きすれば、「準備すべき額」が分かります。なかには退職金が充実していて、定年まで働けば足りそうだという人もいるでしょう。「お金のことが気になって、やりたいことにフタをしてしまう」人も、足りない金額が具体的に分かれば、きっとポジティブに挑戦できるはずです。

老後に必要な支出と収入の差額を計算

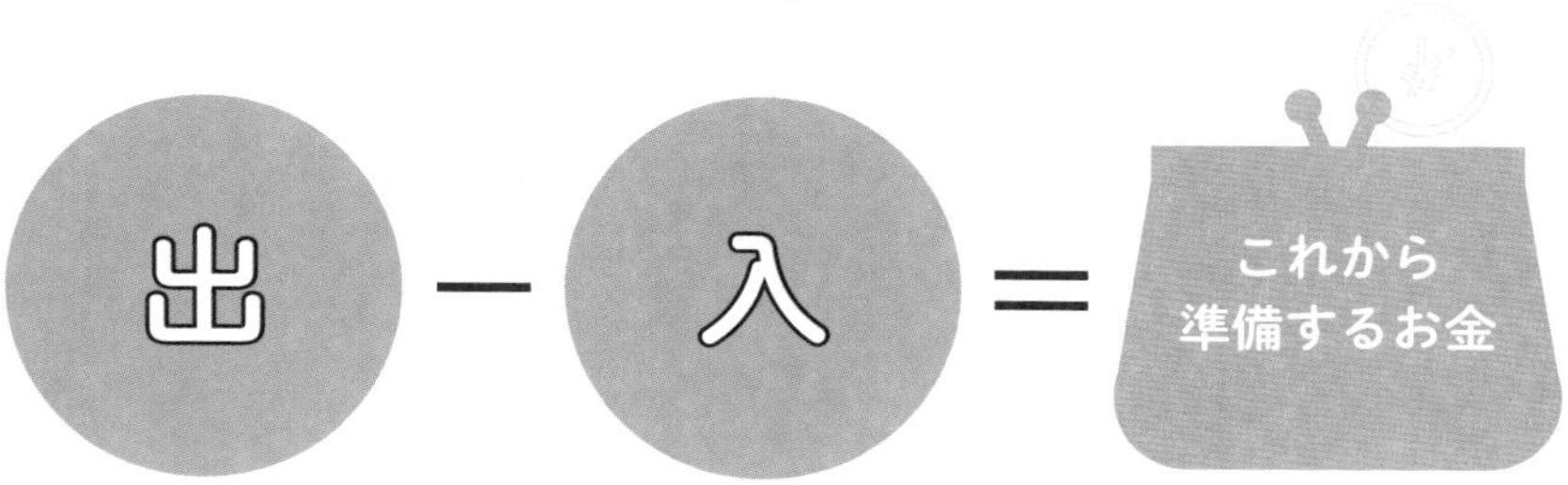

➡ 詳しくはp.20〜21へ

➡ 詳しくはp.22〜27へ

出：老後の暮らしに必要なお金

- 日常生活費
- 一時出費
- 自己実現費
- 介護や医療などの備え

入：今あるお金＋何もしなくても入るお金

- 金融資産（預貯金、有価証券）
- 公的年金
- 退職金
  企業年金

これから準備するお金

- 定年までに貯める資産
- 定年後の勤労収入
- 投資などの収益

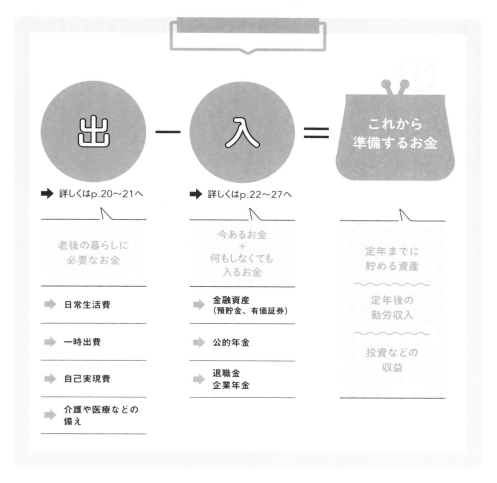

「老後の支出」をざっくり計算

老後の「生活費」は現役時代の7割に

まずは、「定年後にかかるお金」がどれくらいになるか、洗い出しましょう。**シニア世代の日常生活費については、現役時代の7掛けが目安。**家計簿を付けているなら、現在の生活費に70％を掛ければ、老後の生活費がざっくりとイメージできます。**日本の65歳女性の平均余命は24・63年（＊）ですので、90歳までの25年間を掛け合わせて、老後の日常生活費の総額を計算します。**

これに、リフォームや車の買い替えなどの一時出費、新たにチャレンジしたいことや、趣味を続けるための費用を自己実現費として見積もりましょう。こうした出費も、シニアライフを充実させるために欠かせない費用です。

また、医療や介護にかかる費用も人によって、かなり異なります。定年後に収入が減れば、医療や介護にかかる負担が小さくなる社会保険の仕組みもあり、現状では左ページの金額が一つの目安となります。これらを合わせれば「老後の暮らしに必要なお金」が分かります。

＊令和元年「簡易生命表」より

老後にかかるお金をざっくり計算してみよう

日常生活費

現役時代の70%が目安

老後の生活費は現役時代の70%くらいになることが多い。食費、水道・光熱費など、何にどれくらい使っているか、家計簿を付けてチェック。

一時出費・自己実現費

やりたいことや趣味の予算

続けていきたい趣味に毎月（毎年）いくらかかっているか、また「定年後にやりたいこと」があれば、どれくらいかかるか予算を調べてみよう。

医療費*1

一つの目安は約200万円

65～89歳の医療費自己負担額

65～69歳	8.9万円／年
70～74歳	7.2万円／年
75～79歳	6.4万円／年
80～84歳	7.5万円／年
85～89歳	8.3万円／年

→ 合計すると… 約200万円

介護費*2

一つの目安は約500万円

①介護にかかる費用平均	月7.8万円
②介護期間の平均	約4年7カ月（55カ月）
③一時的にかかる介護費用の平均	69万円

7.8万円 × 55カ月 ＋ 69万円 ＝ 498万円

*1 出所：厚生労働省「年齢階級別1人当たり医療費、自己負担額及び保険料の比較」（平成29年度実績）
*2 出所：生命保険文化センター「生命保険に関する全国実態調査」（平成30年度）

「今ある資産と負債」を把握する

貯蓄や投資などの「資産」から ローンなどの「負債」を差し引き

次に行うのは「資産と負債の棚卸し」です。**左ページの「資産」に、給与天引きで貯めている財形貯蓄や社内預金、預貯金、投資信託などの金融資産額を調べて書き出してみましょう。**意外にまとまった額になっていて驚くかもしれません。

iDeCoの残高は年1回届く残高通知でも分かりますが、できればスマホなどで、最新の時価を確認しましょう。株式市場の上げ下げにより、時価が変動している可能性は高いと思います。貯蓄型保険は、将来受け取れる予定額とともに受け取り時期をチェックします。

「負債」は、住宅ローンや教育ローンなど、現時点での借入残高を記入します。ローンは支払いが完了する時期を確認しておくと、いつまで働くのか、会社や国の年金をどのタイミングで受け取るか、考える際に役立ちます。資産から負債を差し引けば、「今保有する資産」の残高が分かります。

あなたの資産＆負債は今どれくらい？

資産	
☑ 財形・社内預金	万円
☑ iDeCo	万円
☑ 普通・定期預金	万円
☑ 投資信託・株式（時価）	万円
☑ 貯蓄型保険（受取予定額）	万円
☑ その他	万円
資産合計 ▶▶▶	万円

負債	
☑ 住宅ローン	万円
☑ その他ローン	万円
負債合計 ▶▶▶	万円

資産合計 － 負債合計 ＝ 今持っている資産 万円

もらえる「公的年金」を確認する

「ねんきん定期便」を確認して「ねんきんネット」で詳しく試算

老後の収入の大きな柱となる「公的年金」。「私はいったいどれくらいもらえるのだろう?」と不安な人もいるかもしれません。

50歳以上であれば、毎年の誕生月に届く「ねんきん定期便」をチェックすると、現状の年収のままで60歳まで働いたときの「年金見込額」が確認できます（左ページの「ねんきん定期便」参照）。**日本年金機構の「ねんきんネット」を使って今後の年収と働く期間を設定すると、いつからどれくらいの年金がもらえるか、シミュレーションが可能。**「このまま会社員として働き続けたら」「途中でフリーランスになったら」など、働き方のパターンを変えた試算もできて便利です。

50歳未満の人にも「ねんきん定期便」が送付されますが、記載されているのは「これまでの加入実績に応じた年金額」。今後、働くことで増える年金額は反映されていません。ぜひ、「ねんきんネット」で試算してみましょう。

50歳以上は「ねんきん定期便」で見込み額が分かる

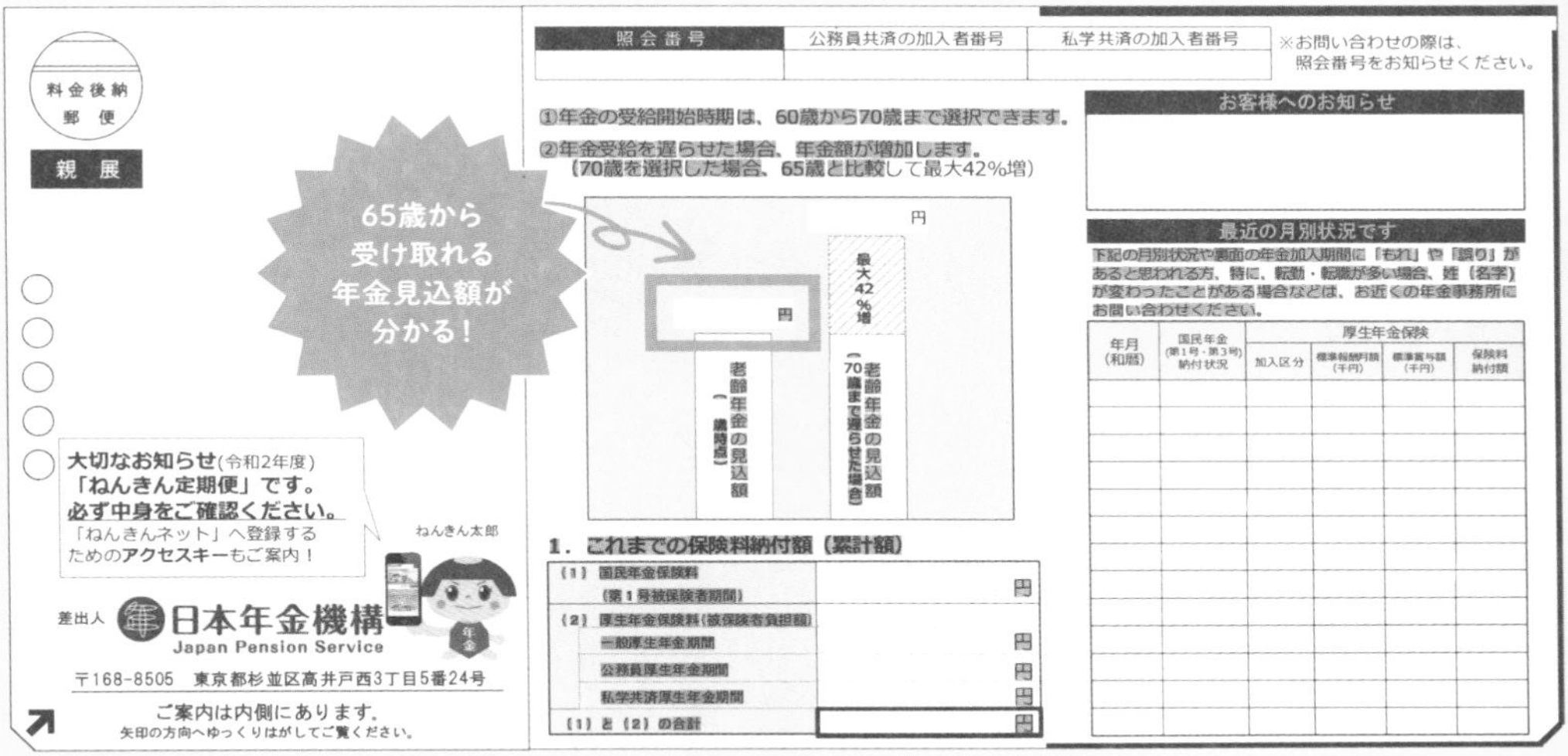

令和2年度「ねんきん定期便」（50歳以上）の表面のサンプル（日本年金機構のホームページより）

「ねんきんネット」ならシミュレーションが可能

会社の退職金制度と金額をチェック

会社からもらえるお金は一時金？ それとも年金？

会社員の場合、リタイア後の収入は公的年金以外に、定年時または定年後に会社からもらえるお金があります。それが「退職金や企業年金」です。退職するときに渡せるよう、**皆さんが入社したときから会社が準備してきたお金を、一度に受け取るのが「退職一時金」(俗にいう「退職金」)。分割して少しずつ受け取ることができるものを「企業年金」といいます。**

日本では、退職一時金がある会社が73％と多く、企業年金がある会社は27％、両方あるという恵まれた会社も18％あります(平成30年就労条件総合調査より)。自分の会社の退職金制度がどれに当たるのか、どれくらいの額になりそうかを確認してみましょう。ひと昔前は、人事や総務に退職金のことを聞くと「退職する気なのか」と思われることもありましたが、イマドキは会社側の意識も変化。「家計相談をしているFPから確認してくるよう言われた」と言って、聞いてみるのがおすすめです。

一度に受け取れば「退職一時金」
分けて受け取ると「企業年金」

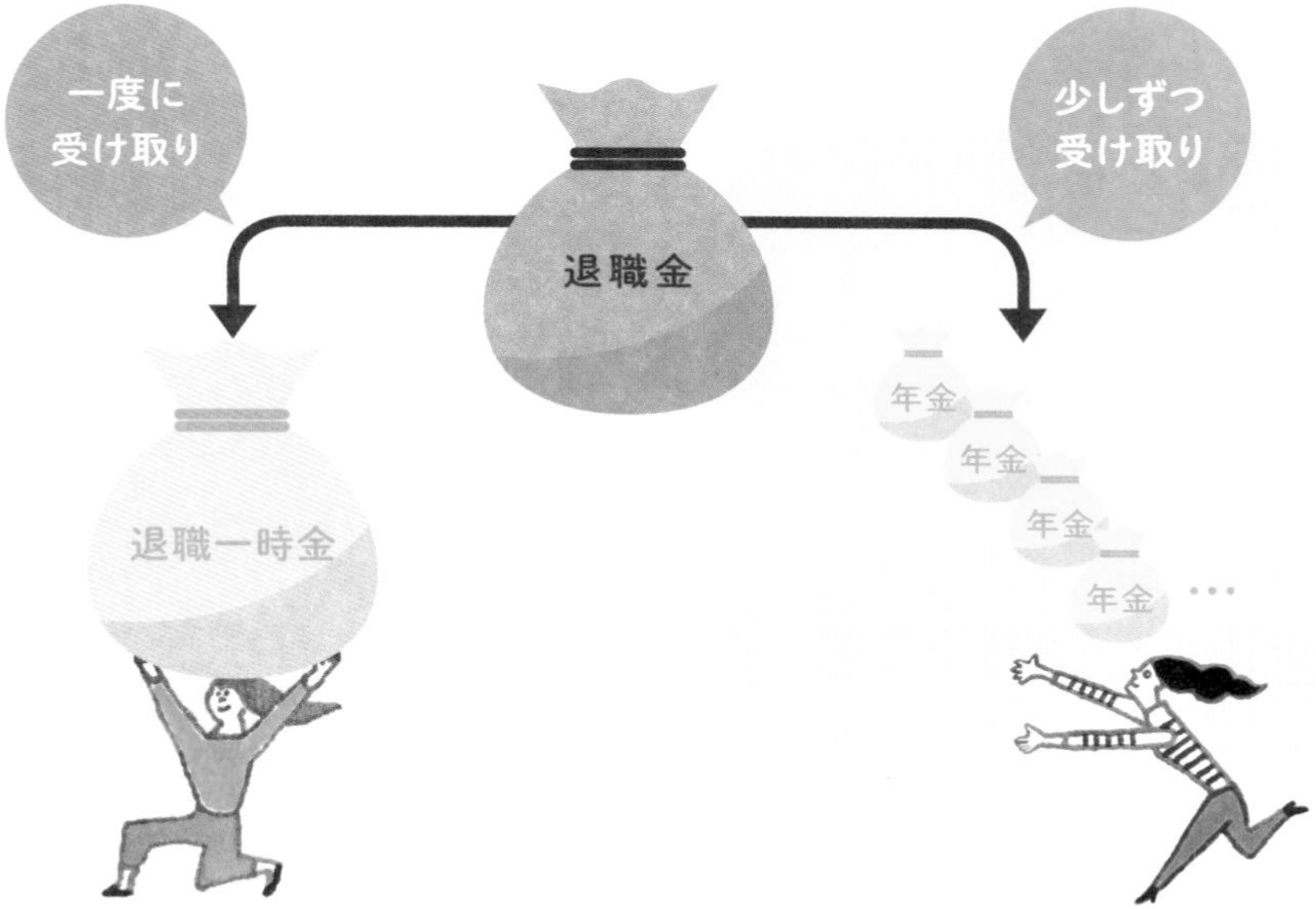

定年退職時の退職金相場

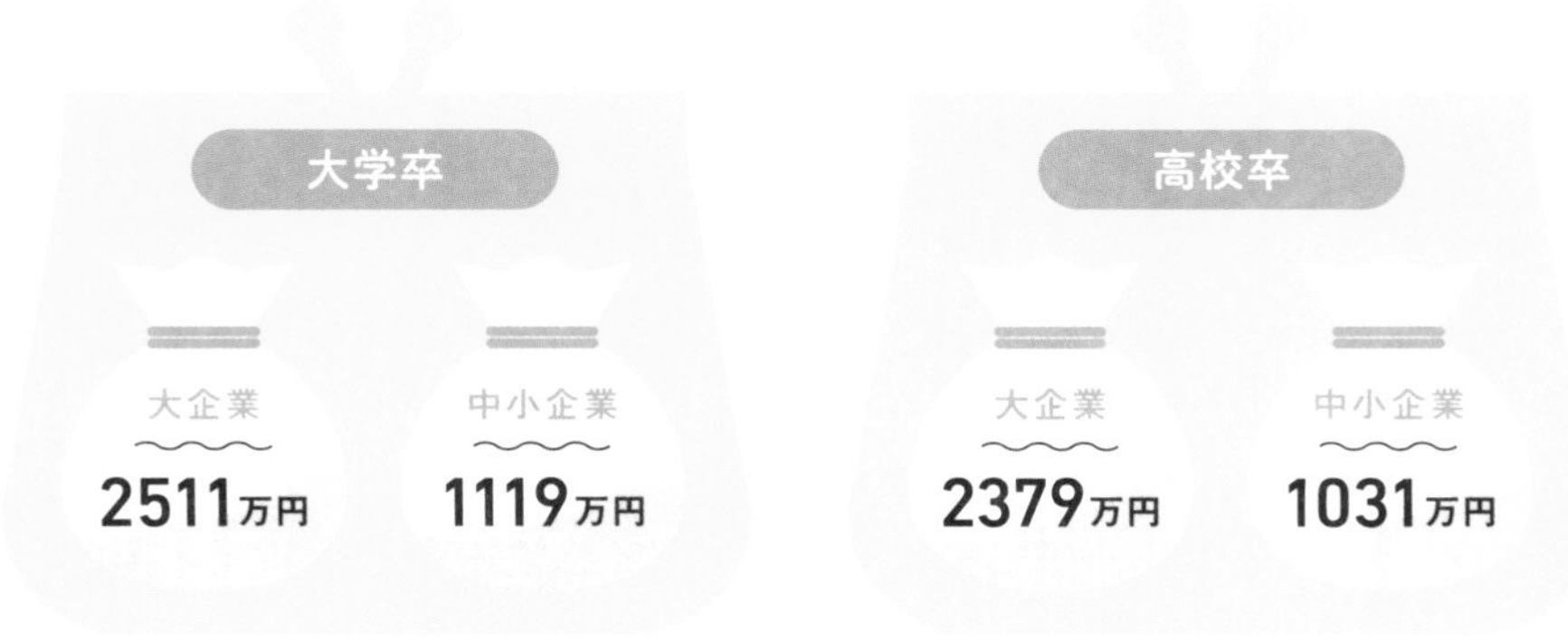

大学卒		高校卒	
大企業	中小企業	大企業	中小企業
2511万円	1119万円	2379万円	1031万円

※中央労働委員会「令和元年賃金事情等総合調査」モデル退職金額と「中小企業の賃金・退職金事情（令和2年版）」より

退職前にチェックしておこう

「会社の年金」の受け取り方の選択肢は？

さまざまな選択肢と条件
理解した上でベストチョイスを

会社の年金のなかでも、加入者が多い「確定給付企業年金」と「企業型確定拠出年金」。受け取り方も会社ごとに異なるため、左ページに挙げたポイントは、ぜひ確認しておきましょう。

確定給付企業年金は、受け取りを先延ばしすると付与される金利が１・５％程度となるなど、この低金利下では魅力があります。**受け取りをなるべく遅らせて「年金」で受給すれば、さらに額を増やすことができます。**また、一時金との組み合わせが可能なら、住宅ローンの返済に必要な額だけ一時金で受け取り、残りを年金で受け取るといった選択もできます。

企業型確定拠出年金は、会社からの積み立て終了後もメリットの一つである運用益非課税が続きます。ただし、**口座管理料や振込手数料が自己負担の場合、長い期間をかけて受け取ると負担がかさみます。**自分の会社の年金制度を知り、ベストな選択に役立てましょう。

「会社の年金(企業年金)」はここをチェック!

確定給付企業年金 & 厚生年金基金

- 企業が運用
- 給付額がルールで決まっている

いくら受け取れる

- 自分の受け取り見込み額
- 受け取りを先延ばしすると付与される金利

年金で受け取る条件は

- 勤続○年以上
- ○歳以上

受け取り方の選択肢は

- 10年、20年などの期間
- 一時金と組み合わせが可能か
- 受け取り開始時期の選択の有無

企業型確定拠出年金

- 加入者が運用
- 運用実績によって給付額が変わる

いくら受け取れる

- ① 現時点での残高*
- ② 毎月の掛け金×定年までの期間

①と②を足してみよう

費用負担は

- 口座管理料は自己負担か
- 振込手数料は自己負担か
- 自己負担する場合はいくらか

受け取り方の選択肢は

- 5年、10年、20年などの期間
- 一時金との組み合わせが可能か
- 受取額は一定か

* 個人情報のため、会社は把握していない。加入者WEBや、年1〜2回届く残高通知書、コールセンターなどで確認しよう。

家計簿を付けて「支出」を減らす

保険料や年会費など ムダな「固定費」から見直し

定年を迎える前に、取り組みたいのが「家計の見直し」です。「家計簿を付けるのが面倒で続かない」という人には、スマホの「家計簿アプリ」がおすすめ。銀行やクレジットカードなどの情報が自動で連携できるものを選べば、簡単にお金の流れが可視化できます。

家計簿を付ける習慣が付いたら、支出の「ムダ」をチェック。**「なんとなく払っているけれど、なくても困らないもの」はないでしょうか。**例えば、通っていないジムの会員費や、使っていないスマホの有料アプリなどを洗い出してみてください。「保険」も、健康保険や介護保険といった社会保険制度でカバーされることを考えると、入りすぎていることが多いので、ぜひ一度見直しを。将来の支払い総額を考えれば、解約を実行することの効果は非常に大きいものです。収入があるうちに、必要なものだけにお金をかけるようにしておくと、定年後もスムーズに「スリム家計」に移行できます。

面倒な家計管理は「家計簿アプリ」がおすすめ

家計簿アプリは、「Zaim」や「マネーフォワードME」など銀行やクレジットカードに紐付けられるものを選ぼう。水道・光熱費などの口座引き落としをはじめ、ネットやカードでの買い物を自動で集計してくれて便利。現金で買い物をした場合は、レシートの自動読み取りも可能だ。現金での支払いが多く、金融機関との自動連携に抵抗がある人には、シンプルに支出が管理できる「おカネレコ」などのアプリがおすすめ。

金融機関や
ECサイトと連携できる
代表的なアプリ
Zaim
マネーフォワード
ME
現金払いが多い人には
シンプルに管理できる
アプリも
おカネレコ

「削ると効果的な支出」をチェック！

- ✔ 使っていないカードの年会費
- ✔ 高額な死亡保障の保険料
- ✔ 民間の医療保険などの保険料
- ✔ 高額な携帯電話の料金プラン
- ✔ スマホに入れた有料アプリ
- ✔ 通っていないジムの会員費
- ✔ 使っていない動画配信などの
サブスクサービス

固定費から
メスを入れると
効果的

仕事や資産運用で「収入」を増やす

老後に必要なお金の手当ては自分が得意な方法で

１章を通して、収入や支出など、「お金の全体像」を整理してみると、準備しなければならない額は思ったよりも少なく、安心できたという人もいるのではないでしょうか？

それでも、「もう少し準備しておきたい」というときには、**①働いて稼ぐ、②貯蓄する、③保有資産を運用して増やす**、という3つの方法があります。**「働いて稼ぐ」というのは、たくさん稼ぐというよりも、長く働いて収入を継続的に得ることを想定しています。**３つのなかで最も確実で、安定した収入が期待できる方法です。例えば、年間３００万円の収入だとしても、５年間働けば１５００万円という大きな額に。これがあるとなしでは大違いです。

２０２１年４月には高年齢者雇用安定法が改正され、65歳までの就労だけでなく、70歳までの就労についても機会が提供されることになりました。今後はさまざまな〝長く働くチャンス〟が生まれそうです。

「貯蓄」は支出の無駄を削り、その分を将来のためにとっておくという方法。現在、無駄な支出が多い人ほど、効果が期待できます。

最後が**「資産運用」**です。経済の動向を見て、今後世の中に必要とされるものは何かを考えて資金を投じることは、意義深いことであり、老後の頭の体操にもなります。しかし、運用はご存じの通りマーケット次第。**大きく増えることもありますが、うまくいかないことも多々あります。**

この3つのうち、自分が得意な方法で老後のお金を準備するのが得策です。金融機関から「今こそ、資産運用しないと!」とあおられても、自分が苦手だと感じるなら受け流し、しっかり長く働き続けるためのスキルアップや体力増強のほうにまい進することをおすすめします。

COLUMN #1

40代で初めて 自分の「定年後」に向き合った

私は22年間、会社員として大手証券会社で働いてきました。43歳のときに、15歳年上の定年間近の男性と再婚し、一緒に「定年後」を考えることに。定年までは会社が仕事や活躍する場、そして仲間まで提供してくれるけれども、その後は放り出されるという現実に向き合わなくてはいけなくなりました。子どものいない自分の場合、**「70歳を過ぎた後こそ、世の中に自分らしくいられる場所や仲間がないと厳しい」**と考えるようになり、45歳のときに退職。好きなことの一つであった「食」や「野菜」に関する仕事を模索し始めました。もちろん、仕事を辞める前には、経済的にやっていけるかどうか、**退職金や年金を夫が亡くなるタイミング別（笑）に、7パターンぐらいの受け取り方で検証してから決断**。「食」や「野菜」は稼ぐにいたらず、生活を彩るライフワークに、現役時代の経験と知識を生かした「確定拠出年金アナリスト」がライフワークかつ「稼ぐ仕事」となっています。

PART

2

iDeCoを徹底活用！定年までの資産形成

「投資は難しくて苦手」「忙しくてなかなか始められない」…
そんなあなたに向けて、手間がかからず
「老後資金」がつくれるiDeCoの始め方、
投資信託の基本や運用する際のポイントを解説します。

「積み立て」は最強の資産形成法

コツコツ「積み立て」で老後資金をつくろう

老後の資産形成として、若いうちからぜひスタートしておきたいのが、給与天引きや自動引き落としを利用した「積み立て」です。「積み立て分」をあらかじめ給与から取っておいてくれるので、給与振込口座にある残高を安心して、生活費に充てられます。**最初に手続きしておけば、その後は手間がかからず、継続できます。**積み立てを始めた当初は生活費が減り、ちょっと窮屈な思いをするかもしれませんが、数カ月もすれば慣れるはず。**5年、10年と月日が積み重なることで、いつの間にかまとまった資産をつくることができます。**まさしく「継続は力なり」です。

実は、「投資」も「積み立て」とは相性がいいのです。いざ「投資」をしようと思っても「明日のほうが安くなるかも」といった欲が邪魔をして、なかなか「買う」アクションはとれないもの。積み立て投資は、機械的に買うことができ、さらに定額購入ならではの〝平均単価を低く抑える効果〟もあります。

忙しいサラリーマン女子の資産形成は 積み立て投資が オススメ！

つ
み
た
て

メリット 1

手間がかからない

最初に「積み立てる仕組み」さえつくっておけば、
その後の手続きは不要。

メリット 2

継続できる

節約して積み立て分を残しておくより、
口座に残ったお金で暮らすほうが負担は少ない。

メリット 3

ストレスなく合理的な投資ができる

定期的に定額を投資するため、
価格が安いときに多く購入できる。

◆「毎月2万円」など定額で投資をすると…

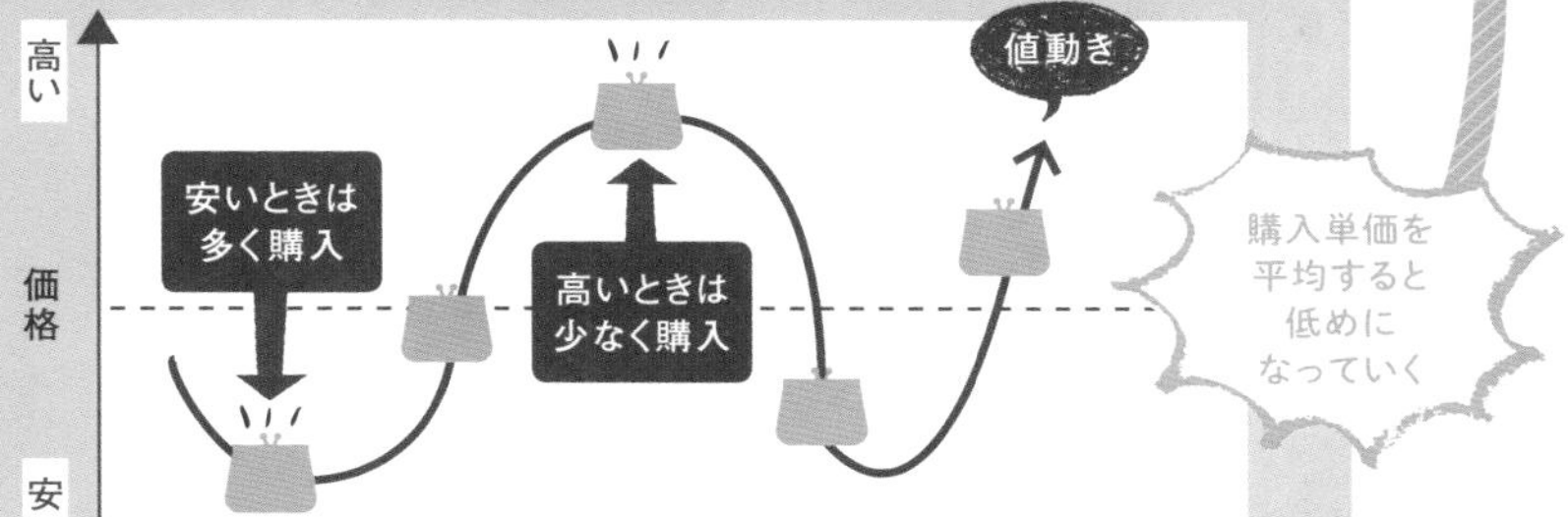
高い
価格
安い
時間
安いときは
多く購入
高いときは
少なく購入
値動き
購入単価を
平均すると
低めに
なっていく

税金や手数料は必ずチェック

投資するときは「コスト」に注目

コストを抑えて効率よく「手取り」を増やす

投資をする際に、気を付けたいのは「自分がコントロールできるものとできないものを間違えない」ということです。

収益である「リターン」は自分でコントロールできませんが、「資産の配分」「コスト」「リスク」の3つは可能。なかでも**最も大切で、コントロールしやすいのが、投資する際の売買手数料や投資信託の運用管理費用（*）、税金などの「コスト」です。**

手数料などについては、同じサービスであれば安いほうを選びましょう。

また、**通常は収益に対して20・315%が徴収されますが、「運用益非課税」の資産形成制度を利用すれば、税金がかからず「手取り」が増えます。**

節税メリットがあり、積み立てができる代表的な制度が、財形貯蓄（住宅・年金）、つみたてNISA、iDeCoです。「老後資金づくり」に最適なiDeCoについては、次ページから詳しく見ていきましょう。

＊ 投資を専門家に任せるときにかかる手数料。投資信託の残高から、毎日差し引かれる。運用する側にとっては報酬なので「信託報酬」と呼ばれることも多い。

投資でコントロールできるものは…

Allocation

☑ **資産の配分**

現金、株式(国内・外国)、債券(国内・外国)などの資産にお金をどう配分するか。

Cost

☑ **コスト**

投資におけるコストは「税金」と「手数料」。「税金がかからず、手数料の安いもの」を選ぼう。

Risk

☑ **リスク**

「価格のブレ」のこと。価格が変動する株式も投資額を小さくすればリスクを抑えられる。

✔ 運用益に税金がかからない

✔ 積み立てができる

3つの資産形成制度

財形貯蓄制度(住宅・年金)

「給与天引き」で、住宅や年金などの限定された目的に合わせて資金を準備する制度。利子などが非課税となる。

つみたてNISA

主に投資信託を年間40万円の範囲で積み立てる。売却した際の運用益は20年間、非課税でいつでも受け取り可能。

老後資金づくりにぴったり!

iDeCo(個人型確定拠出年金)

預貯金や投資信託など自分で商品を選び、**一定額**を積み立てる。**原則60歳以降**に「一時金」か「年金」の形で受け取る。積み立て中の運用益非課税の他、掛け金が全額所得控除されるなど**節税メリット**も(→詳しくは次ページ)。

手数料、税金、長期の運用…

「老後資金づくり」にはiDeCo

税制面での優遇とコストの低さが魅力

iDeCoは「個人型確定拠出年金」の愛称で、「自分で老後資金をつくるための制度」。掛け金を出すのも、運用するのも自分です。**積み立てた掛け金は全額、課税所得から差し引かれ（所得控除）、積み立て期間中の利息や投資の運用益に税金がかかりません。**老後に受け取る際にも一定の控除があり、税制面で優遇されています。運用商品としてラインアップされている投資信託の手数料が安いことも魅力です。

注意点は、口座管理料などの費用がかかることと、60歳を迎えるまで資産を引き出せないこと。引き出し制限はデメリットととらえられがちですが、老後資金をつい使ってしまうことのないような仕組みともいえます。

また、2022年5月からは60歳以降も会社員・公務員として働くなら、65歳まで積み立て可能に。22年10月からは企業型確定拠出年金とiDeCoが併用できるようになるなど、ますます制度が使いやすく改正されています。

iDeCoを「老後資金づくり」に使う3つのメリット

メリット 1
積み立て期間は税金が安くなる

iDeCoで積み立てた掛け金は全額、課税所得から控除されるので、所得税や住民税の負担が軽くなる。例えば課税所得250万円で月2万3000円を積み立てた場合、所得税・住民税を合わせた負担軽減額は年間5万5200円。積み立て期間が長くなるほどメリットがある。

メリット 2
iDeCoの投信は手数料が低め

iDeCoは各金融機関が商品を厳選しているため、コストの高い投信を買う心配が少ないこともメリットだ。投資信託にかかるコストのうち購入時手数料はゼロ。また、長期運用で手取り額に影響する「運用管理費用（信託報酬）」も安いものが多い。

メリット 3
「60歳まで引き出せない」から確実に貯まる！

「積み立てた掛け金は60歳まで引き出せない」のがデメリットだと思われがちだが、「老後の資金づくり」という目的を考えると、簡単に引き出せないことはメリットだ。受け取るまでに期間があるからこそ、目先の市場の動きに惑わされずに長期運用できる効果も。

2022年5月〜

iDeCoの加入可能年齢が60歳→65歳に

60歳までだったiDeCoの加入要件が撤廃され、国民年金に加入している間はiDeCoに加入できることに。60歳以降も会社員や公務員として働いていれば、65歳まで「厚生年金＋国民年金」に入ることになり、5年長くiDeCoに加入できる。

＼5年延長／でさらに節税！

所得税率5%だとしても月2万3000円[*1]の掛け金なら、5年間で所得税・住民税を合わせて約20万円ほど節税できる計算に。

◆ **課税所得ごとの税負担軽減額**[*2]（掛け金が月2万3000円の場合）

課税所得	税率		年間軽減税額（所得税・住民税）
	所得税	住民税	
195万円以下	5%	10%	4万1400円
195万円超330万円以下	10%	10%	5万5200円
330万円超695万円以下	20%	10%	8万2800円

＊1 企業年金のない会社員がiDeCoを利用する場合
＊2 復興特別所得税を考慮しない概算

運用する商品を選ぶ

元本保証がいいなら預金
リターンを得たいなら投資信託

iDeCoをスタートするときは、「決めなければならないこと」がいろいろあります。まず考えたいのが「どんな運用をするか」。**iDeCoで選べる「元本確保型」の商品には、定期預金と保険商品があります。**しかし、保険商品は満期前に中途解約すると「解約控除」という手数料がかかり、元本割れする可能性も。「元本」の安全を優先するなら、定期預金がおすすめです。

一方、「元本保証にはこだわらず、少しでもリターンを得たい」なら「投資信託」という選択肢になります。iDeCoは60歳までという長期間、積み立てることで継続的に投資する仕組みが整っており、投資対象さえ分散できれば「長期・継続・分散」という王道にのっとった運用ができます。

少額から運用でき、積み立て中の運用益が非課税、商品は金融機関があらかじめ厳選…などの特徴を考えると、iDeCoの運用で「投資信託デビュー」してみてもいいのではないでしょうか。

自分の「リスク許容度」によって金融商品を選ぼう

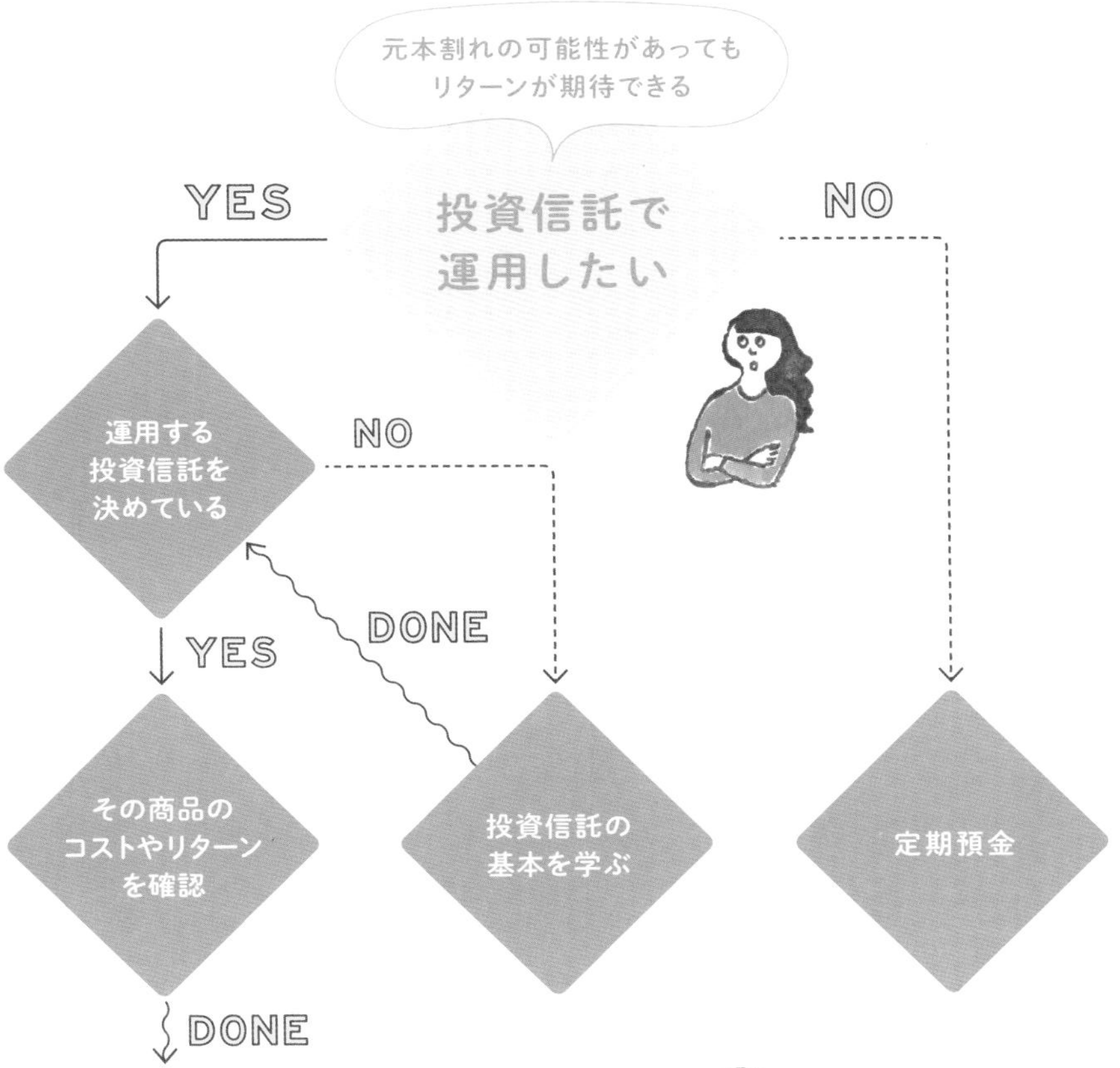

大江's suggestion

「商品が決められないから」とiDeCoの申し込みを先延ばしするのはもったいない！ その分、老後資産の積み立てや運用の期間が短くなってしまいます。運用商品はいつでも変更できるので、まずは預金100%で始めて、勉強しながら投資信託にチャレンジしてみては。

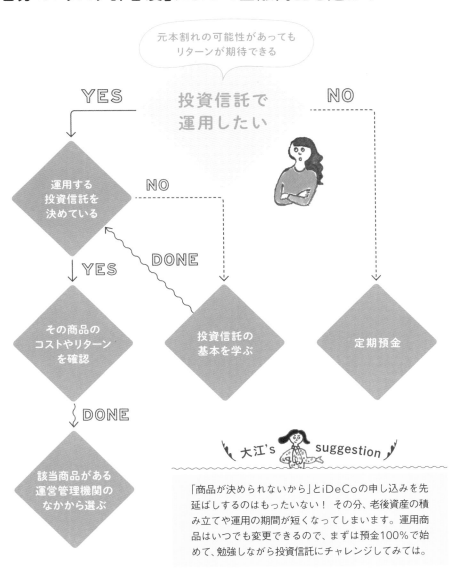

契約する「運営管理機関」を決定

商品ラインアップ、サービス、手数料をチェック

次はiDeCoの契約先を選びます。**運営管理機関は銀行や証券会社などの金融機関が多く、それぞれ、商品のラインアップやサービス・手数料が異なります。**契約できる運営管理機関は1カ所のみで、60歳以降の受け取りまで長い付き合いになります。比較サイトを利用しながら、自分に合った機関を選びましょう。

「運用は定期預金」と決めているなら、年間2000〜7000円ほどかかる「口座管理料」が安いところを選択すればOK。投資信託で目当ての商品があるなら、ラインアップにあるかどうかチェックしましょう。投資ビギナーは、**①手軽に分散投資しやすい低コストのインデックス型商品がある、②リスク許容度診断や資産配分シミュレーションといった、自分に合った配分を決めるサポートツールがある、③加入後のフォローとして商品の勉強会をWEBで行ってくれる、**といった点が大切です。

運営管理機関選びのチェックポイント

商品		□ 購入したい商品がある
		□ 低コストのインデックス型商品がある
		□ 取り扱う商品の特徴や違いが分かりやすい
サービス	コールセンター	□ 平日夜・土日に稼働している
		□ サービス評価機関の評価が高い
	加入者WEB	□ リスク許容度診断や資産配分シミュレーションのサービスがある
		□ サービス評価機関の評価が高い
	加入後のフォロー	□ オンラインでセミナーなどがある
		□ チャットボットなどで気軽に疑問を解消できる
手数料		□ 口座管理料が安い
		□ 移換費用がかからない*

＊ 転職する人、企業型確定拠出年金（企業型DC）との併用をする人は、将来的に企業型DCに資産を移しまとめる可能性が高いので「移換費用」がかからない機関を選ぼう

運営管理機関が比較できるサイト

iDeCoナビ（個人型確定拠出年金ナビ）

「取扱金融機関比較」
https://www.dcnenkin.jp

iDeCo（個人型確定拠出年金）総合ガイド モーニングスター

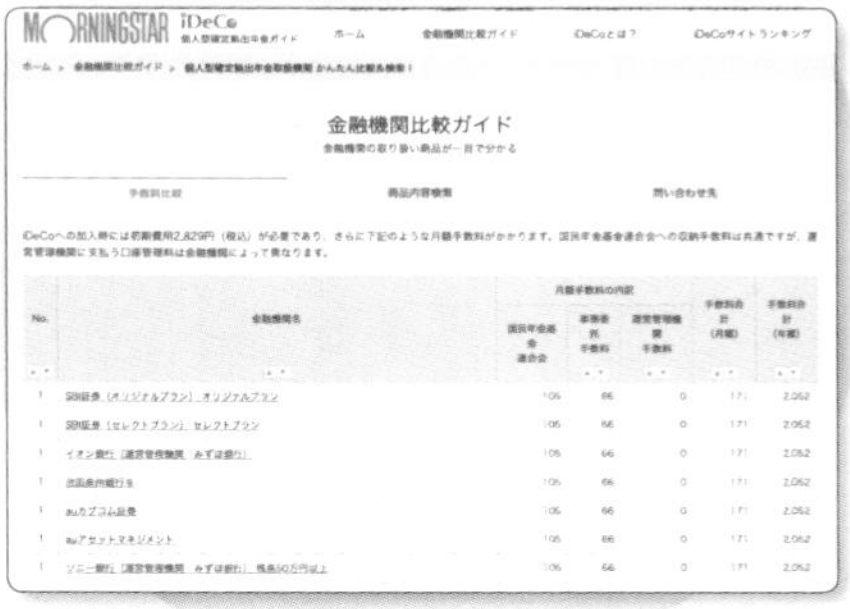

「金融機関比較ガイド」
https://ideco.morningstar.co.jp

毎月の「掛け金」を決める

5000円から積み立てOK 上限は職業や会社で異なる

iDeCoは老後資金の土台となる公的年金や、会社の年金を補完する制度。掛け金の上限は、この「土台」の充実度により、異なります（左ページ）。下限は毎月5000円となっており、1000円単位で設定できます。会社の制度によって上限が違うので、転職したらすぐ登録勤務先を変更するようにしてください（*）。

60歳までは引き出せないので、掛け金の額は無理しないことが大切。**教育費やマイホーム購入などのライフイベントで多額の費用がかかる期間は、iDeCoの掛け金の額は抑え、換金性の高い定期預金や「つみたてNISA」のウェートを高くするのがおすすめ。**掛け金の額は年に一度変更できるので、お金のメドが立ったら額を増やし、掛け金の全額が所得控除できるメリットを生かしましょう。できるだけ早くスタートすることで、毎月の掛け金が少額でも資産が貯まり、節税メリットも長く享受できます。

＊ 勤務先の変更手続きが遅れると、上限を超えて購入した商品残高は売却され、そのなかから還付事務手数料として約1500円が徴収された上で払い戻しされる。

掛け金の上限は働き方や会社の年金制度によって違う

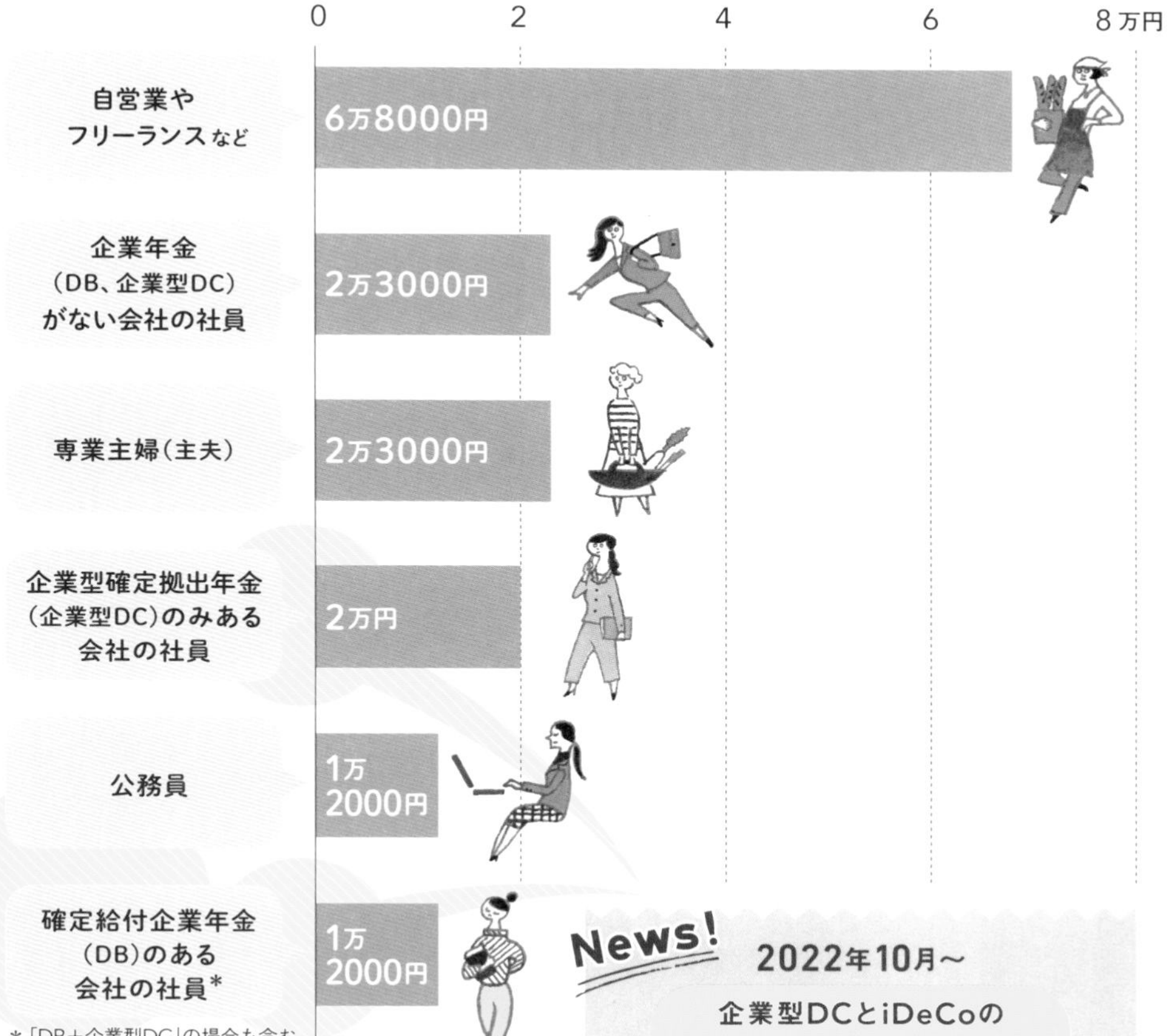

＊「DB＋企業型DC」の場合も含む

News!

2022年10月～

**企業型DCとiDeCoの
同時加入の制約が撤廃！**

これまで企業型DCに加入している人は、iDeCoに加入する際に勤務先の労使合意などの制約があり、実質的に加入できなかった。しかし、2022年10月以降そうした制約が撤廃。2万円を上限に「5.5万円－企業型DC掛け金額」まで拠出可能に。DBもある場合は1.2万円を上限に「2.75万円－企業型DC掛け金額」まで。

News!

2023年以降を予定

**掛け金の上限が
2万円までOKに！**

2023年以降に公務員、DBのある会社の社員の掛け金上限が2万円まで拡大する予定。ただし、DBが非常に高い一部の企業に勤務している場合や、企業型DCにも加入していて会社の掛け金額が高い場合は、それらを反映した2万円より少ない上限額となる。

申し込みから初回積み立てまで

複数の運営管理機関から資料を取り寄せて比較しよう

ある程度絞り込みができたら、複数の運営管理機関から資料を取り寄せて比較します。資料送付の対応スピードや、内容の分かりやすさなども比べて決めましょう。契約先が決まれば、早速申し込み。**会社員・公務員は「事業主の証明書」の添付が必要なので、まずは勤務先にこの書類の作成を依頼しましょう。**申し込み書を提出しても、実際に口座引き落としがスタートするまでに、早くて1カ月かかります。さらに、運用商品を購入できるのは、口座開設した翌月の中旬となります。

購入後は資産残高を確かめるために、加入者WEBにログインしてみましょう。口座管理料などの手数料は、掛け金のなかから運用商品の買い付け前に差し引く仕組みのため、掛け金のすべてが運用商品の購入に回るわけではありません。初回は加入時手数料も差し引かれるので、残高は少なめになります。ここから、コツコツ積み立てが始まります。

資料請求から金融商品の購入までの流れ

運営管理機関の資料を請求

複数取り寄せるとサービスや商品の違いが分かる。

比較検討

評判は参考にとどめ、長く付き合える契約先を選ぼう。

【申し込み】

申し込み

☑「事業主の証明書」を勤務先に依頼

会社員・公務員は「事業主の証明書」を勤務先に依頼。2022年10月（予定）までは掛け金上限額の証明に必要だ。

☑「基礎年金番号」を用意

「青色の年金手帳」または「基礎年金番号通知書」に記載されているので、必ず記入。

☑ 押印は2枚目が肝心！

引き落とし口座の銀行印の押印箇所は2枚目まで忘れずに。この押印漏れが不備として最も多いので注意。

※ 当月受付の締切日は運営管理機関によって異なる

【申し込み＋1カ月】

（中旬）**口座番号やパスワードなどの書類が届く**

契約した運営管理機関ではなく、資格の確認や口座の管理をする会社などから書類が届く。

- 個人型年金加入確認通知書（国民年金基金連合会）
- iDeCo口座開設のお知らせ（口座の管理会社）
- パスワード設定のお知らせ（口座の管理会社）

（26日）**初回の引き落とし**

引き落とし額から口座管理料（初回のみ約3000円の加入時手数料がプラス）が差し引かれた額で商品が購入される。

【申し込み＋2カ月】

（中旬）**商品購入（初回）**

購入後、資産残高がいくらになっているのかは、スマホで自分の口座にアクセスすれば、いつでも確認できる。次の月以降に購入する商品やその割合の変更も可能。

※ 当月締め切り後の申し込みの場合、初回のみ2カ月分を引き落とされることもある。また、上記は代表的な手続きの流れなので、詳しくは申し込みする運営管理機関から届くガイドブックなどを確認しよう。

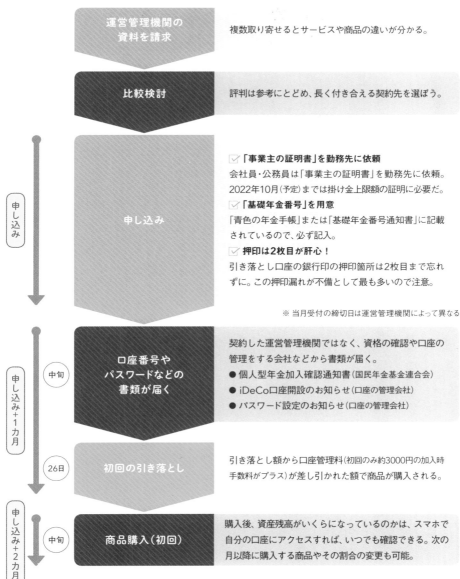

積み立てスタート後の手続きや管理

節税メリットのための手続きや運用状況の確認を忘れずに

積み立て後は毎年、年末調整や確定申告で所得税・住民税の負担軽減のための手続きを行います。11月に必要な証明書が自宅に届くので、引っ越しした場合はすぐに住所変更手続きをしておきましょう。

資産残高は少なくとも年に1回は確認。「残高通知」が届いた際に、**①残高はいくらか、②損益はどうか、③決めた資産の配分が大きく変化していないか**の3点をチェックします。

株式型の投資信託などは、大きく値上がりして資産に対するウェートが高くなることも。株式への投資割合が高いということは、株式市場の変動で資産が目減りするリスクも大きくなっているということです。目安として、**特定の資産が15%以上増えていたら、全体のバランスを整えるメンテナンスを検討しましょう。**受け取り額を目減りさせないために、iDeCoの受給時期が近づいたら、株式型投信の割合を減らすという手もあります。

積み立て開始後に必ず行うべきことは？

① 年末調整または確定申告を行う

圧着ハガキで、1年間の掛け金の額を証明する『小規模企業共済等掛金払込証明書』（控除証明書）が11月*に届く。会社員なら年末調整で右の赤枠欄に払込証明書にある掛け金の額を記入するだけで手続きは完了。

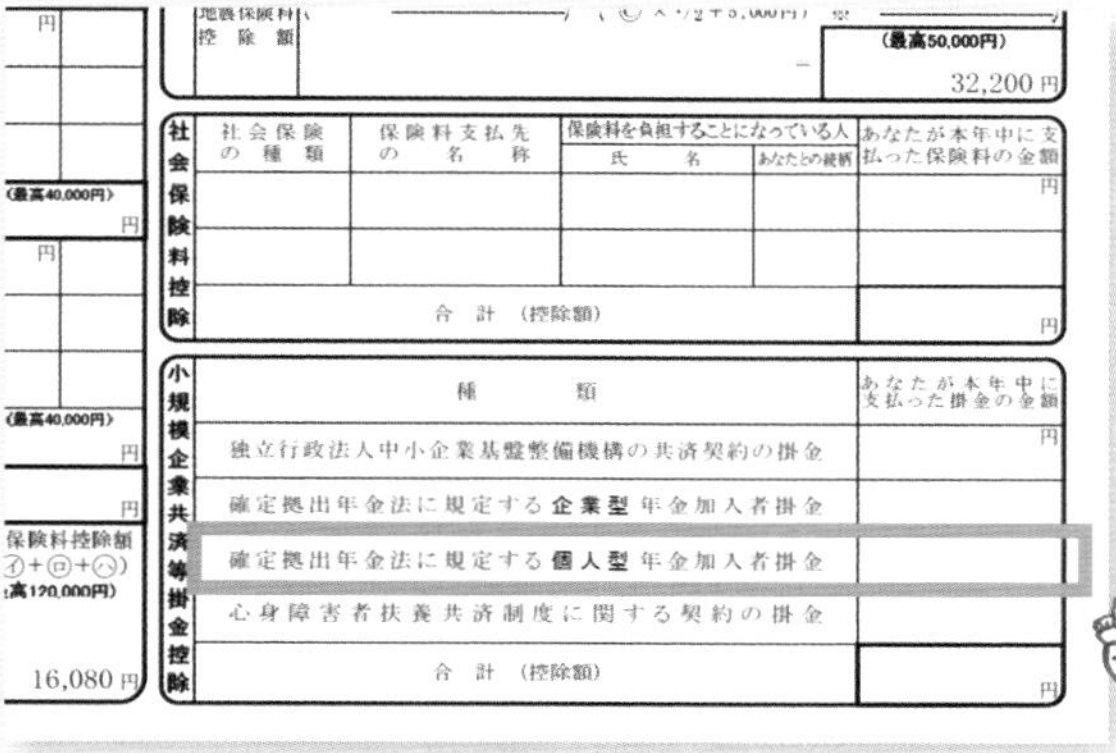

地震保険料控除額 （最高50,000円） 32,200円

（最高40,000円） 円

（最高40,000円） 円

保険料控除額 (イ+ロ+ハ) （最高120,000円） 16,080円

社会保険料控除				
社会保険の種類	保険料支払先の名称	保険料を負担することになっている人 氏名	あなたとの続柄	あなたが本年中に支払った保険料の金額
				円
合計（控除額）				円

小規模企業共済等掛金控除	
種類	あなたが本年中に支払った掛金の金額
独立行政法人中小企業基盤整備機構の共済契約の掛金	円
確定拠出年金法に規定する**企業型**年金加入者掛金	
確定拠出年金法に規定する**個人型**年金加入者掛金	
心身障害者扶養共済制度に関する契約の掛金	
合計（控除額）	円

＊ 9月末までの納付を前提に発行されるので、10月以降に引き落としが開始された場合には、12月以降の送付となる。給与天引きで掛け金の積み立てを行っている場合は上記の手続きは不要。

② 年1回、資産の現況確認とメンテナンス

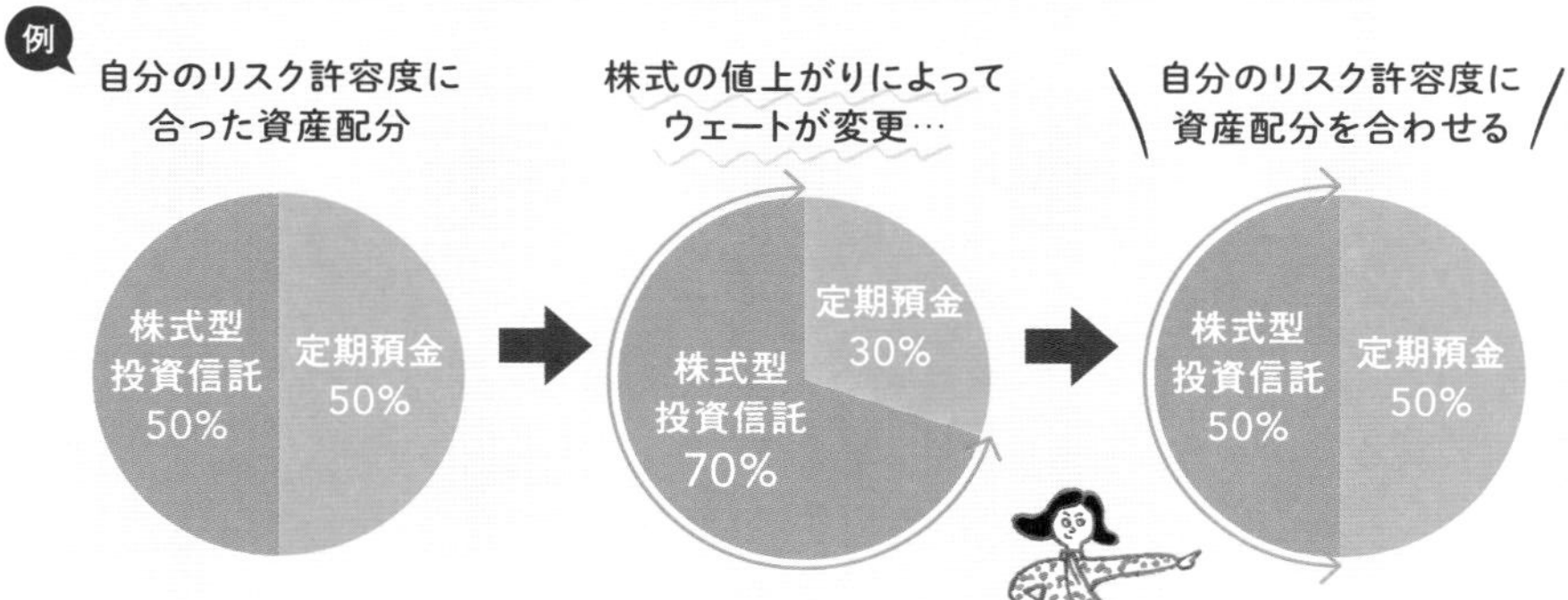

残高のウェートを変更するには、商品の売買を行って調整する思い切った方法と、毎月の掛け金で購入商品の種類や配分を変更するマイルドな方法がある。いずれもスマホで自分の口座にアクセスして、いつでも変更できる。

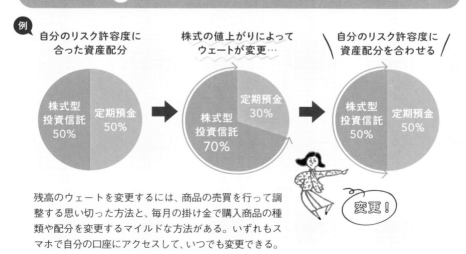

少額から分散投資できる「投資信託」

投資対象を幅広く分散保有しながら勉強しよう

投資信託（投信）とは多くの人がお金を運用の専門家に託し、大きな資金にして投資する仕組み。「幅広い投資対象に少額から投資できる」のが特徴です。購入可能なものだけで６０００近くの種類があり、ｉＤｅＣｏで買える商品だけでも６００近くあります。コレ！と思う商品があれば、まず少額から買ってみて、保有しながら勉強するのがおすすめです。

例えば「世界の企業に幅広く投資する」投資信託ならば、ＧＡＦＡＭ（＊）をはじめ、中国のアリババやテンセントなど、世界的な企業の成長を資産形成に取り込めます。ただし、**価格変動の激しい株式型投信は1年間で2割上がることもあれば、3割ほど下がることも**。価格が下がっても、精神的にダメージを受けない額を保有することがうまく付き合うコツです。市場が急落しても慌てて売らず、株価が安い時期をむしろチャンスとして買い続けると、株価の回復とともに運用益も大きくなります。

＊ Google、Amazon、Facebook、Apple、Microsoftなど、米国の世界的企業の頭文字

少額でいろいろな資産に投資できる「投資信託」の仕組み

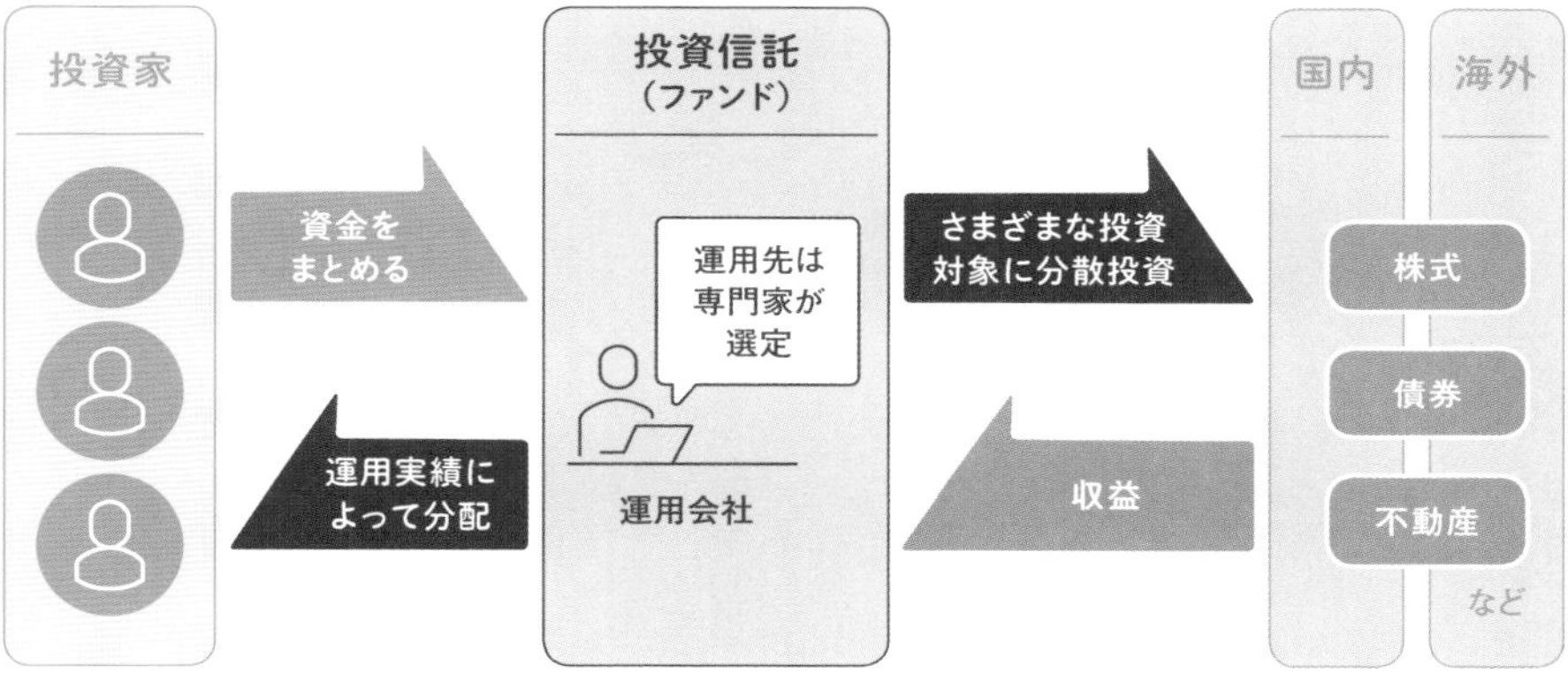

「世界の株式」に投資するなら？

投資家から運用を任されている額

プロに運用を任せるための費用

ファンドの実績の長さが分かる、運用開始日

◆世界の企業に幅広く投資する投資信託の例

投資対象	商品名／運用会社	純資産総額	運用管理費用（税込み）	設定日
先進国	**野村外国株式インデックスファンド・MSCI-KOKUSAI（確定拠出年金向け）**／野村アセットマネジメント	2877億円	0.1540%	2002年2月22日
	＜購入・換金手数料なし＞ニッセイ外国株式インデックスファンド／ニッセイアセットマネジメント	2668億円	0.1023%	2013年12月10日
	eMAXIS Slim 先進国株式インデックス／三菱UFJ国際投信	1906億円	0.1023%	2017年2月27日
	たわらノーロード　先進国株式／アセットマネジメントOne	1048億円	0.1099%	2015年12月18日
	インデックスファンド海外株式ヘッジなし（DC専用）／日興アセットマネジメント	801億円	0.1540%	2002年12月10日
新興国含む	**楽天・全世界株式インデックス・ファンド＜楽天・バンガード・ファンド（全世界株式）＞**／楽天投信投資顧問	865億円	0.2120%	2017年9月29日
	eMAXIS Slim 全世界株式（除く日本）／三菱UFJ国際投信	529億円	0.1144%	2018年3月19日
	SBI・全世界株式インデックス・ファンド＜雪だるま（全世界株式）＞／SBIアセットマネジメント	200億円	0.1102%	2017年12月6日

※ データは2021年4月9日時点。純資産総額は億円未満を四捨五入。運用管理費用（信託報酬）は、投資先ファンドの費用なども組み入れた「実質」のもの。

素材＝「投資対象」はどんなもの？

株式、債券、REIT…
まずは「投資先」をチェック

投信（ファンド）で、まず確認したいのは「何に投資しているか」です。**株式なら企業の業績、債券なら金利や発行元の信用、ＲＥＩＴ（証券化された不動産）なら賃料市況**など、投資先によって値動きの要因や幅がそれぞれ異なります。**投資対象が国内か外国か**という点も為替の影響があるので、押さえておきたいポイントです。**投資対象や地域を複数組み合わせたバランス型（資産複合型）のファンド**もあります。ｉＤｅＣｏの商品一覧は投資対象などがひと目で確認できるので、ぜひ一度チェックしてみてください。

次にファンドの「月次レポート」を見てみましょう。ファンドが保有する上位銘柄が分かるため、より「投資先」のイメージが湧きやすいはず。同じファンドでも、時代の流れとともに、組み入れられている銘柄は変わります。自分が長期的に保有する資産としてぴったりかどうか、中身をしっかりチェックしておくことが肝心です。

その投信は何に投資している?

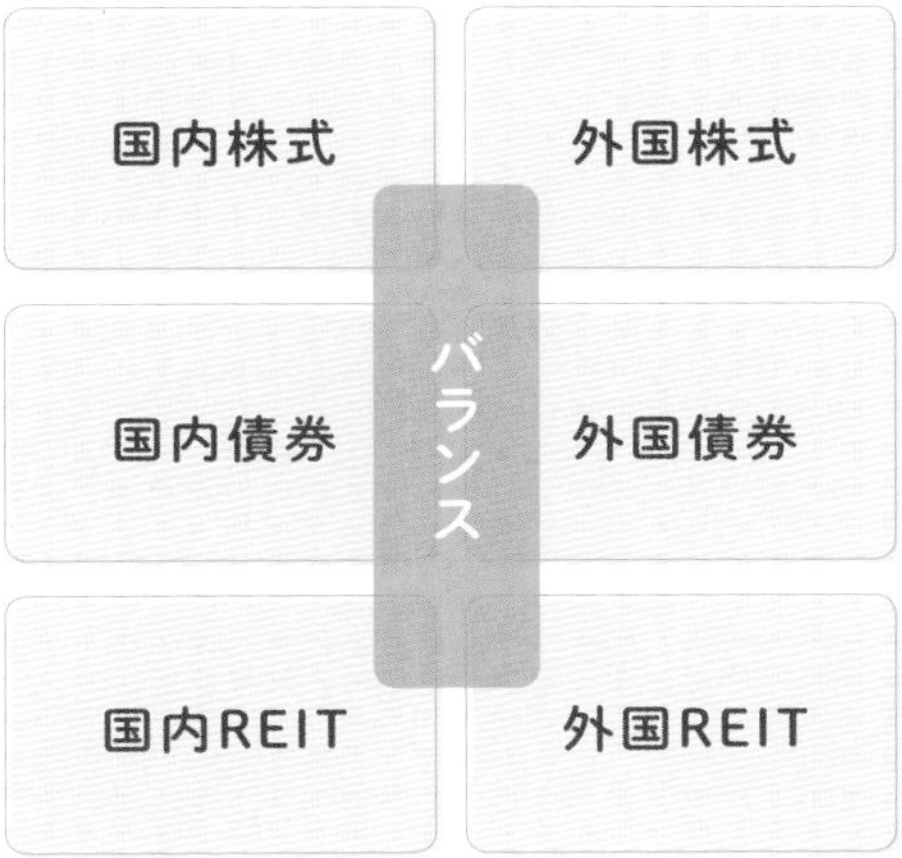

同じパッシブ型ファンドでも約20年間でこんなに投資先が変わる!

◆「外国(先進国)株式」に投資するファンドの投資上位5銘柄

	2002年3月末	2021年3月末
1	ゼネラル・エレクトリック	アップル
2	マイクロソフト	マイクロソフト
3	エクソンモービル	アマゾン
4	シティグループ	フェイスブック
5	ファイザー	グーグル

※先進国株式指数(MSCI-KOKUSAI)に連動するパッシブ(インデックス)ファンド、「野村DC外国株式インデックスファンド・MSCI-KOKUSAI」の「月次レポート」より

味付け＝「運用手法」はどうなっている？

パッシブ（インデックス）型か アクティブ型か

次に確認したいのは運用手法。「パッシブ型（インデックス型）」と「アクティブ型」の2つがあります。**パッシブ型の投信は「インデックスファンド」とも呼ばれ、市場と同じような値動きを目指す運用手法**です。投資対象をリサーチして厳選する手間がないため、「運用コストが安い」という特徴があります。運用成果の目安となる、市場の値動きを表す指標を「ベンチマーク」と呼び、国内株式の場合は日経平均株価やTOPIX（東証株価指数）が代表的なものとなります。

一方の**「アクティブ型」は、運用者が「ベンチマーク」を上回る結果を目指す運用手法**です。投資対象のリサーチや腕のあるファンドマネジャーを雇う必要があるので、運用コストも高くなります。ベンチマークを上回れないことも珍しくありません。一般的に**投資初心者には、「市場全体」に連動して動くパッシブ型のほうが分かりやすくておすすめ**といわれています。

運用手法は「パッシブ型」と「アクティブ型」がある

価格
日経平均株価やTOPIX、
MSCI-KOKUSAIなどの
「指数」に連動して運用
ベンチマーク
パッシブ運用
時間
パッシブ
（インデックス）
運用

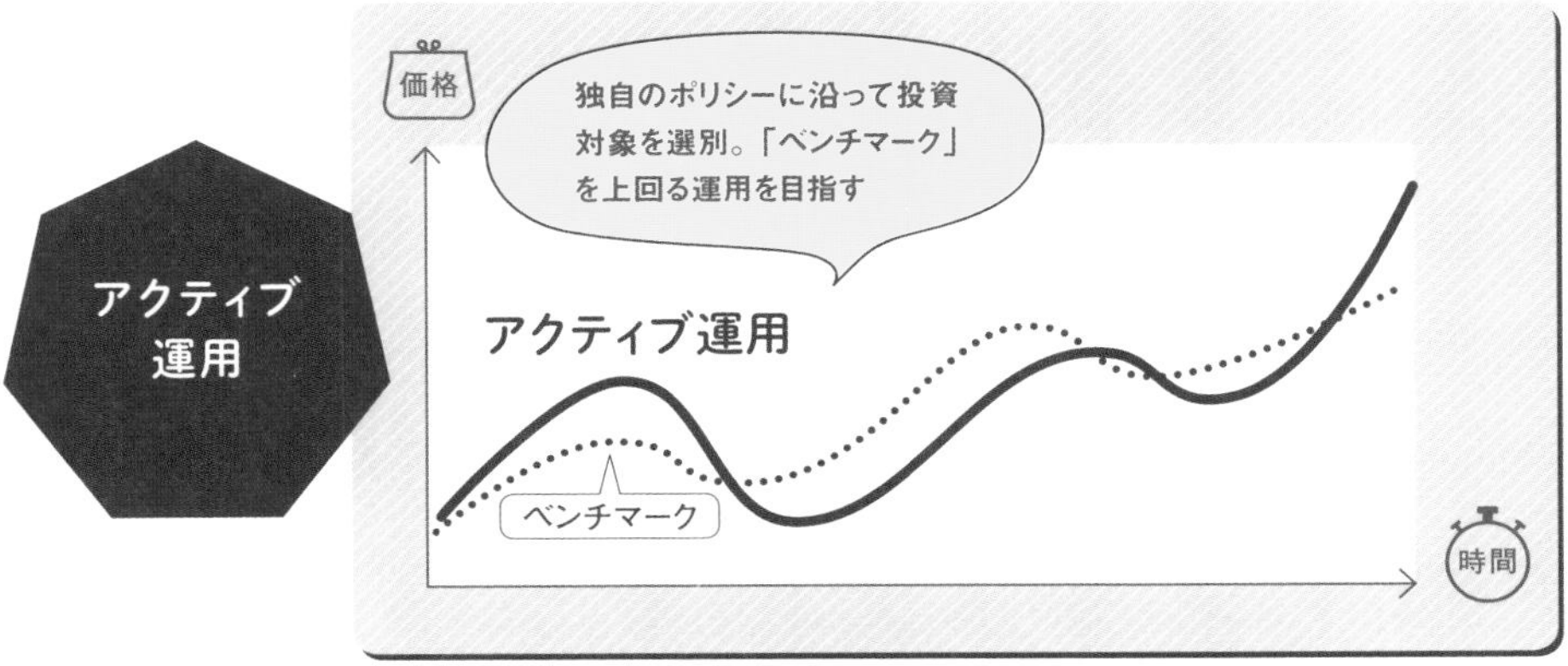
アクティブ
運用
価格
独自のポリシーに沿って投資
対象を選別。「ベンチマーク」
を上回る運用を目指す
アクティブ運用
ベンチマーク
時間

ベンチマーク
となる「指数」
ってどういうもの？

簡単にいうと市場全体や特定のグループの値動きを表す「モノサシ」のようなもの。株価指数としてお馴染みの「日経平均株価（日経225）」は、東証1部市場に上場している代表的な225銘柄の株価を平均したものだ。米国の株式市場なら「NYダウ」が有名。他に日本を除く海外の先進国の株式指数では「MSCI-KOKUSAI」などがある。

選ぶ際は運用コストを比較しよう

同カテゴリーのパッシブ型投信はコストを比較して判断

投信を選ぶ際に忘れてはならないのが、コストのチェック。特に運用している間はずっと負担することになる「運用管理費用」（信託報酬）は必ず確認して、比較するようにしましょう。例えば、東証１部の値動きを表す「ＴＯＰＩＸ」に連動する投信の購入を考えた場合、同タイプの商品は多数あります。同じ指数に連動する**「パッシブ（インデックス）型」投信は、運用成績の差が大きく出ないので、運用管理費用が投信のパフォーマンスに大きく影響**します。一方、ファンドマネジャーがベンチマークを上回る運用成果を目指す**「アクティブ型」投信は、単純にコストだけで比較するのはＮＧ**。運用方針や過去の実績、運用体制も含めて、総合的な評価が必要になります。

ｉＤｅＣｏのコストが低いパッシブ型投信は、情報サイト「ｉＤｅＣｏナビ」で、同じカテゴリーごとに比較できます。投資したいファンドがあれば、ぜひチェックしてみましょう。

iDeCoナビの「運用管理費用ランキング」

◆「運用管理費用（信託報酬）ランキング」 https://www.dcnenkin.jp/cost

		運用商品名	実質の運用管理費用（信託報酬）	取扱い金融機関
国内株式	1位	東京海上セレクション・日本株ＴＯＰＩＸ	0.1540%	東京海上日動火災保険、 北洋銀行、 東邦銀行、 群馬銀行、 十六銀行、 静岡銀行、 南都銀行、 紀陽銀行、 伊予銀行、 鹿児島銀行
	1位	野村国内株式インデックスファンド・ＴＯＰＩＸ（確定拠出年金向け）	0.1540%	西日本シティ銀行、 福岡銀行
	1位	年金インデックスファンド日本株式（ＴＯＰＩＸ連動型）	0.1540%	住友生命保険、 ソニー生命保険、 富国生命保険、 北國銀行、 滋賀銀行
	1位	野村ＤＣ国内株式インデックスファンド・ＴＯＰＩＸ	0.1540%	野村證券（掛金1万円未満かつ残高100万円未満）、 野村證券（掛金1万円以上もしくは残高100万円以上）、 岩手銀行
	1位	Ｏｎｅ ＤＣ国内株式インデックスファンド	0.1540%	イオン銀行、 信金中央金庫、 ソニー銀行（資産50万円未満）、 ソニー銀行（資産50万円以上）、 第一生命保険（資産150万円未満）、 第一生命保険（資産150万円以上）、 松井証券、 マネックス証券、 みずほ銀行（資産50万円未満）、 みずほ銀行（資産50万円以上）、 ＪＡバンク
	1位	ＤＣニッセイ国内株式インデックス	0.1540%	岡三証券
	1位	＜購入・換金手数料なし＞ニッセイ日経平均インデックスファンド	0.1540%	ＳＢＩ証券（セレクトプラン）

※4月12日時点。ランキングの一部を抜粋

大江さんが運営に関わるiDeCoの情報サイト「iDeCoナビ」の運用管理費用（信託報酬）ランキング。同じジャンルの投信のコストを比較したいときに便利

iDeCoナビは毎月更新。
鮮度の高い情報を
掲載しています！

家計タイプ別にアドバイス

共働き夫婦のベストな資産管理は？

夫婦でお互いに情報共有 相手を責めないよう注意

共働き夫婦の場合、家計全体の状況や優先順位の方針が共有されていないと資産形成や資産管理はうまくいきません。まずは、家計の収支と資産を統合して全体を把握することから始めましょう。相手の趣味や嗜好品に対する支出は無駄に感じることもあると思います。でも、パートナーのお金の使い道や資産状況にケチをつけないことが、情報共有をスムーズに進めるコツ。そして、**双方ともに痛手を被らない「無駄な支出」がないか、一緒に考えるうちに、支出の優先順位がそろってくるはずです。**本書のp.30「50代からの家計改善[1]」もぜひ、参考にしてみてください。

退職金や年金の受け取り方についても、60歳以降の働き方や暮らし方を含めて夫婦で相談しながら、プランニングすることが大切です。会社のライフプランセミナーは夫婦でお金の話ができる良いきっかけになりますから、できれば2人で参加しましょう。

共働き世帯の家計管理とタイプ別の注意点

生活費口座活用タイプ

➡ それぞれの収入から生活資金として決まった額を入れて、そのなかで生活費をまかなう。

大江's suggestion

相手の稼ぎや資産が全く分からず、互いに相手が貯めているだろうという幻想を抱きがち。老後に向けて夫婦トータルでどれくらい準備できているか、一度把握しておこう。

目的別家計管理タイプ

➡ 夫の稼ぎを日々の生活と住宅ローン返済に充て、妻の稼ぎは趣味や旅行などの楽しみに充てる。

大江's suggestion

今の生活を送る上では問題ないが、将来のための資金の捻出がしにくい。家計簿アプリなどで家計全体の収支を明らかにして、無駄な支出をやめ、将来の資産づくりに充てるようにしよう。

家計管理は一方にお任せタイプ

➡ 夫婦の収入を合算し、どちらか一方が家計管理。パートナーはお小遣い制で暮らす。

大江's suggestion

家計管理をしていない側が資産状況などを知らないと、将来の暮らしに過大な夢や不要な不安を抱きがち。働き方・暮らし方を考える上で情報共有は欠かせないので、2人で管理するようにしよう。

ロボアド、FP、IFA…

「資産運用」は誰に相談する？

金融商品選びや購入のサポートは急増中

資産運用は自己責任で行うものですが、その決断をサポートするツールやサービスが最近急速に増えてきました。サービスを使う際に気を付けたいのは、アドバイスに従ったとしても「希望通りに儲かる」わけではないということです。また、商品選びから購入までのサポートがメインとなることが多いため、売るときに困らないよう、投資の勉強は必須。**購入商品の投資対象や、その価格変動要因は理解しておくようにしましょう。**

私自身は、ロボアドバイザーや資産配分シミュレーションをリスク許容度の診断に活用し、投資する商品は仕組みがシンプルなものにしています。金融商品は複雑になればなるほど分かりにくく、手数料も高くなるからです。皆さんも投資の経験を積みながら、「自分に合った運用スタイル」を50代までに確立しておきましょう。退職金という大金を手にしても、これまでと同様に管理・運用していく。そのほうが、失敗もストレスも少ないはずです。

資産運用「プロにお任せ」の前に注意しておきたいこと

FP

ファイナンシャル・プランナーの資格を持つ人のなかにも、保険や不動産などそれぞれ得意分野があり、さらに独立系FPでも具体的な金融商品を提案するには金融商品取引業の登録をしている必要がある。相談する前に①「資産運用」や「投資信託」が得意分野なのか、②商品の提案までできる資格があるのか、③提案される金融商品には販売手数料をキックバックとして得る商品が含まれるのか、などをしっかり確認しよう。

ロボアドバイザー

年齢や年収、資産運用の目的などの質問に答えるとリスク許容度を判定し、運用プランを提案する「アドバイス型」と、さらに自動で運用までお任せする「投資一任型」がある。後者は残高の1%程度の手数料がかかること、お任せできるのは購入部分のみで、売却の際の意思決定は自分が行わねばならないことを意識した上で必要か判断しよう。

投資助言業者

投資に関する助言を生業とし高い専門性が期待できる。国に登録が必要で、登録業者は○○財務局長(金商)第××××号という番号を持つ。日本ではこうしたアドバイスに相当の対価を払う人が少なく、これまでは富裕層が利用するサービスだった。現在では助言契約の範囲を限定することで、数万～10万円といった価格帯でサービスを提供するFP事務所も。「ちょっとまとまった資産」の運用を本気で相談するのに向いているといえる。

IFA

“Independent Financial Advisor”の略で「金融商品仲介業者」として登録し、金融商品の販売仲介、その後のサポートを行っている人たちを指す。“独立系”と言いながら、1つのネット証券会社のみと業務委託契約を交わし、その証券会社の金融商品のみを取り扱う事業者も珍しくない。サービスのベースとなる業務範囲・投資スタンスが事業者によってさまざま。自分に合った会社を探すのが非常に難しいのが現状だ。

COLUMN #2

投資信託と うまく付き合うコツって？

ここ数年、投資信託の積み立てを始める人が急速に増えています。なかには、「コロナショック」の際に元本割れして、慌てて売ってしまい大損した方もいらっしゃるのではないでしょうか？　約10年前のリーマンショックの際には、暴落後に市場がいつ回復するのか見通せない時期が長く、その“恐怖”から多くの積み立て投資家が損を抱えたまま、投資信託を売却してしまいました。しかし、そのまま保有していたら、ご存じの通り「アベノミクス」や「トランポノミクス」という上昇相場に乗って大幅な利益を得ることができたはず。**歴史的に考えても、10年に一度は大暴落がやってきます。また、株式に投資する投資信託の場合、1年間で価格が3割ぐらい動くことはよくあること**。長期投資でリターンを得るためには、少々下がっても決して売らず、保有し続ける姿勢が大切です。逆に価格が3割ぐらい下がっても、日常生活が支障なく送れる程度の額を投資することをおすすめします。

PART

3

退職金・年金・iDeCoの「受け取り方」を考える

会社から支給される退職金や企業年金、
国からもらえる公的年金、積み立てたiDeCoの給付金…
定年後に受け取るものは、たくさんあります。
自分にとって、ベストな受け取り方を事前に考えておきましょう。

退職金・年金・iDeCo いつ、どのようにもらう?

60歳までに「受け取り方」を考えておく

時期や支給の順序…受け取り方で手取り額が変わる

「60歳」という年齢を迎える前に、考えておきたいのが退職金や企業年金、国からもらう公的年金やiDeCoの受け取り方です。

60歳以降の働き方を考えるためにも必要な上、選択肢が多数あり、**受け取り時期や順序によって手取り額が変わります。**特に会社の退職金や年金は、会社員が受け取る額としては人生最大のものとなるはず。定年後の生活を支える大切なお金ですから、悔いのないようにしたいものです。

会社の年金については、会社ごとに受け取り方が違うので確認したい点をp.28〜29でご紹介しました。一方、**iDeCoは契約先によらず受け取り方の選択肢が幅広く、2022年4月からは、さらに受け取り開始の時期を60〜75歳**（＊1）**の間で選べるように。**「年金」として受け取る場合は最短5年から最長20年、一部を「年金」にして残りは一度に「一時金」として受け取る「併給」という選択肢もあります。

iDeCoは受け取り時期や期間が選べる

受け取り開始の時期

60～75歳[*1]で
受け取りたいタイミングを選ぶ

2022年4月から
75歳まで延長！

60歳　65歳　70歳　75歳

60歳時点で通算加入者等期間が10年に満たない場合は、8年以上→61歳～、6年以上→62歳～、4年以上→63歳～、2年以上→64歳～、1カ月以上→65歳～、60歳以上で新規加入なら加入後5年以降に受け取りを開始できる[*2]。

一時金

一度にもらう

POINT
「退職所得」として
他の所得と分離して課税

➡ 詳しくはp.70～71

年金

年1～12回[*3]に分けてもらう

最短5年～最長20年

POINT
「雑所得」として
他の所得と合算して総合課税

➡ 詳しくはp.68～69

併給

一括で受け取る「一時金」と
複数回に分ける「年金」を
組み合わせて受け取ることができる

＊1 現在、受け取り開始の時期は60～70歳だが、法改正により2022年4月から60～75歳の間で選べるようになる。
＊2 法改正により2022年5月から、国民年金に加入していれば、60歳以上の新規加入が可能になる。
＊3 受け取りパターンは金融機関による。

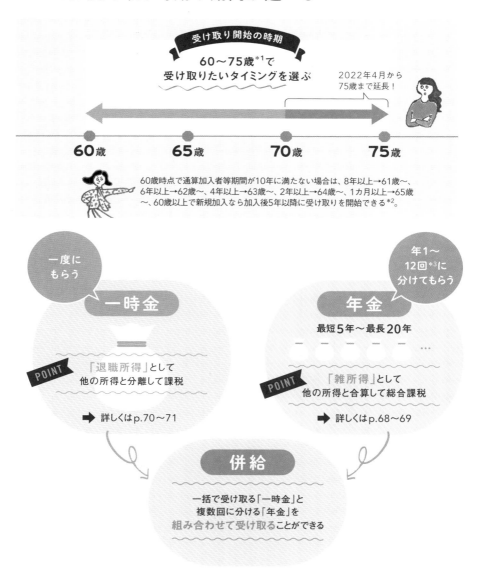

「年金」で受け取るときの税金は？

公的年金や他の所得と合算して課税される

ｉＤｅＣｏを年金で受け取る場合、税制上は雑所得として、働いて得た収入など他の所得と合わせて課税されます。公的年金や会社の年金と合算し、公的年金等控除額を引いた部分が課税対象に。公的年金等控除は、年齢と年金として受け取っている額（年額）によって異なります。例えば、**65歳未満で会社の年金を年間60万円以下、65歳以上で公的年金とｉＤｅＣｏを合わせて年間１１０万円以下の額を受け取るのであれば、雑所得として課税対象になる金額は「ゼロ」となります。**

注意したい点は、課税所得があると、所得税や住民税、社会保険料、医療・介護の自己負担率にも影響する可能性があること。また、ｉＤｅＣｏの年金は、個人の収入状況によらず一律の税率で所得税の源泉徴収がなされていることです。源泉徴収された額が、他の所得を含めた1年間の総所得に基づく本来の所得税額よりも多かった場合は、確定申告で税金を取り戻せます。

企業年金&iDeCo 「年金」で受け取ったときの税金は？

◆「雑所得」として他の所得と合算して「総合課税」

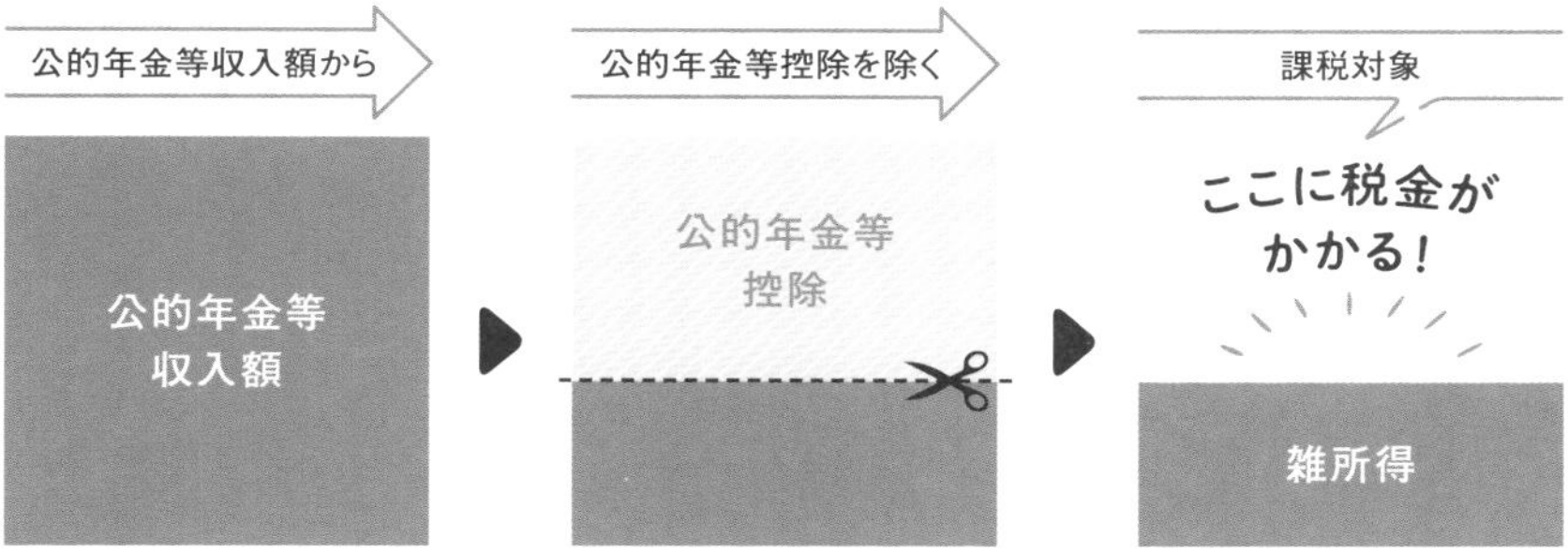

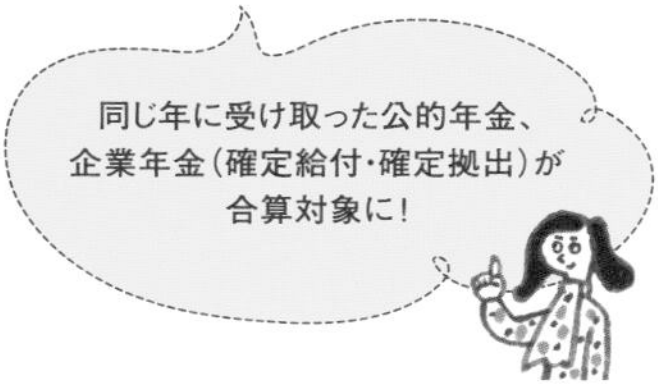

- iDeCoや企業年金を含めた年金受給者は原則として確定申告が必要だが、「年間の公的年金等の収入が400万円以下で、かつ、公的年金等の雑所得以外の所得が20万円以下」の場合には確定申告は不要。ただし、特定の控除を受ける場合などは住民税の申告が必要。
- iDeCoの年金や企業年金は、個人の収入状況によらず支払額の7.6575%が源泉徴収されて振り込まれる。源泉徴収された所得税額が、他の所得を含めた本来の所得税額よりも多くなる場合は、確定申告で税金を取り戻せる。

「公的年金等控除額」は年齢と年金収入によって変わる

◆公的年金等控除額の計算式（公的年金等にかかる雑所得以外の合計所得金額1000万円以下の場合）

	公的年金等の収入額（＝A）	公的年金等控除額
65歳未満	130万円未満	60万円
	130万円以上410万円未満	A×25%+27.5万円
	410万円以上770万円未満	A×15%+68.5万円
	770万円以上1000万円未満	A×5%+145.5万円
	1000万円以上	195.5万円
65歳以上	330万円未満	110万円
	330万円以上410万円未満	A×25%+27.5万円
	410万円以上770万円未満	A×15%+68.5万円
	770万円以上1000万円未満	A×5%+145.5万円
	1000万円以上	195.5万円

※ 公的年金等にかかる雑所得以外の合計所得金額1000万円超2000万円以下の場合、控除額が全体に10万円下がり、2000万円超の場合はさらに10万円下がる。

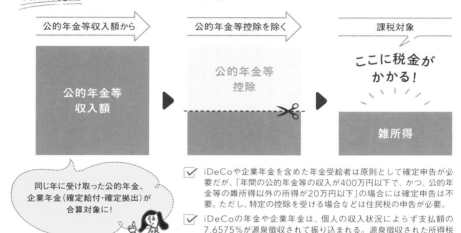

「一時金」で受け取るときの税金は？

退職金とiDeCoを一時金で受け取る際は課税額UPに注意

会社の退職金を「一時金」で受け取る場合は、他の所得と合算せず、「退職所得」として分離した形で課税額を計算します。退職金から「退職所得控除を引いた額の２分の１」の額が課税対象になります。

退職所得控除は勤続年数によって決まり、勤続20年までは１年につき40万円、その後は１年につき70万円が控除枠として増える仕組み。**勤続38年の会社員が「一時金」で受け取った場合、2060万円までは税金がかかりません。**iDeCoについては、勤続期間を加入期間にして計算。同じ年だけでなく過去に受け取った一時金も合算されるので注意しましょう。退職一時金や確定給付企業年金は前年以前の４年、企業型確定拠出年金やiDeCoは前年以前の14年の間に受け取った一時金が合算対象に。**退職一時金の多い公務員などの場合、iDeCoを同時に一時金で受け取ると「退職所得」として合算され、課税額が大きくなりやすくなります。**

企業年金&iDeCo 「一時金」で受け取ったときの税金は?

◆「退職所得」として他の所得とは分離して課税

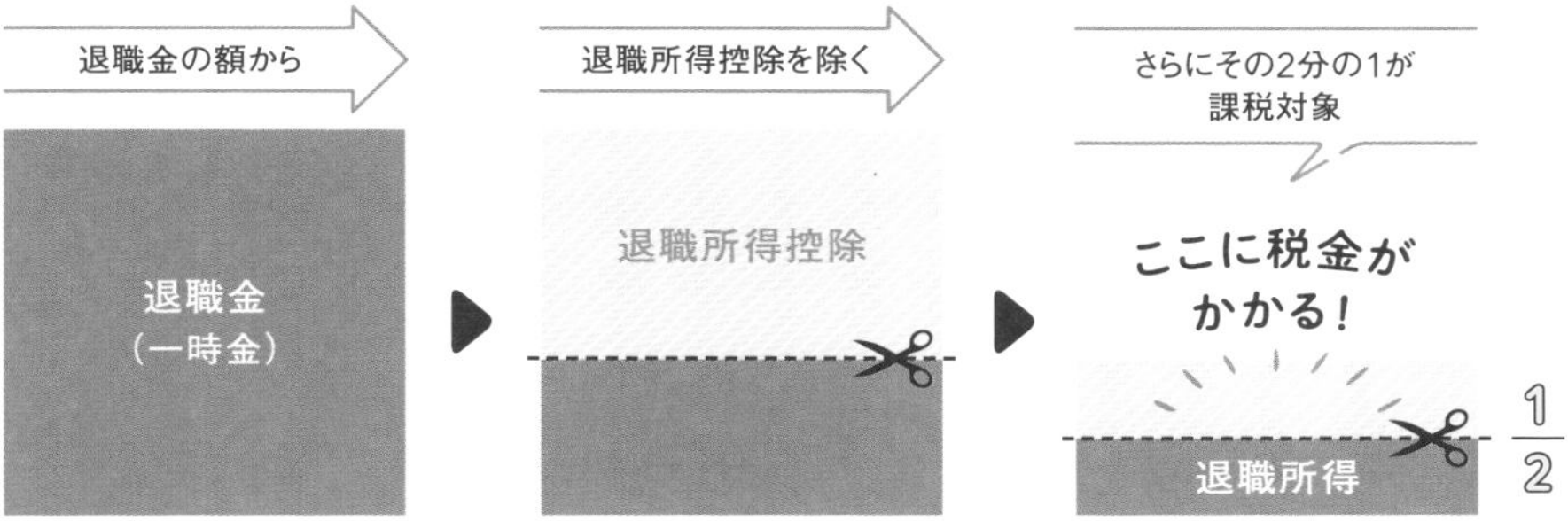

他に一時金で受け取ったiDeCoや確定給付企業年金(DB)、企業型確定拠出年金(DC)が合算対象に!

iDeCoや企業型DCは退職一時金を受け取る前年以前の14年、DBやその他の退職一時金は前年以前の4年に受け取ったものが合算される。

退職所得控除額は勤続年数によって変わる

◆退職所得控除額の計算式

勤続年数(=A)	退職所得控除額
\20年以下/	40万円×A (80万円に満たない場合は80万円)
\20年超/	800万円+70万円×(A−20年)

iDeCoや企業型DCは、「積み立て期間」を勤続年数に置き換えて計算!*

例 iDeCoに38年加入の場合

800万円+70万円×(38−20)年=2060万円が控除額に!

* 1年未満の端数は切り上げ、1年として計算。

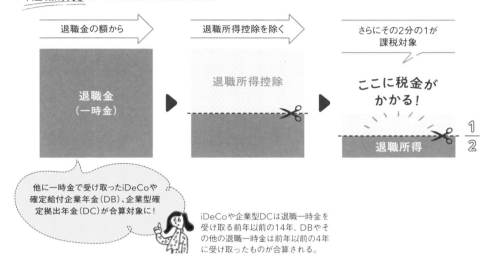

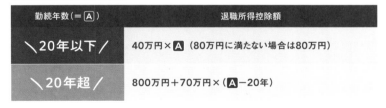

ベストな「受け取りプラン」を考えよう

「ベストな受け取り方」は人それぞれ

ｉＤｅＣｏは、老後の暮らしに充てるのが大前提。一時金でもらうのか、年金でもらうのか。必要に応じた額をタイミングに合わせて受け取ればＯＫです。

しかし、せっかくならば考えたいのが「税金の控除枠を有効活用すること」です。**退職一時金の額が多いなら、ｉＤｅＣｏを「年金」で受け取って公的年金等控除を活用するといいでしょう。65歳以降、公的年金だけで公的年金等控除を上回るなら、ｉＤｅＣｏや企業年金はその前の60代前半に受け取り、受け取り方法や時期が重ならないようにすれば、税負担を軽減できます。**

公的年金を含め、年金や一時金はいったん受け取り始めてしまうと、その後は変更できません。給与や貯蓄をはじめ、会社の年金・退職金、公的年金にｉＤｅＣｏをどう組み合わせれば老後の生活費がまかなえるのか。ベストな受け取りパターンを、定年前に考えておきましょう。

iDeCoのベストな「受け取り方」

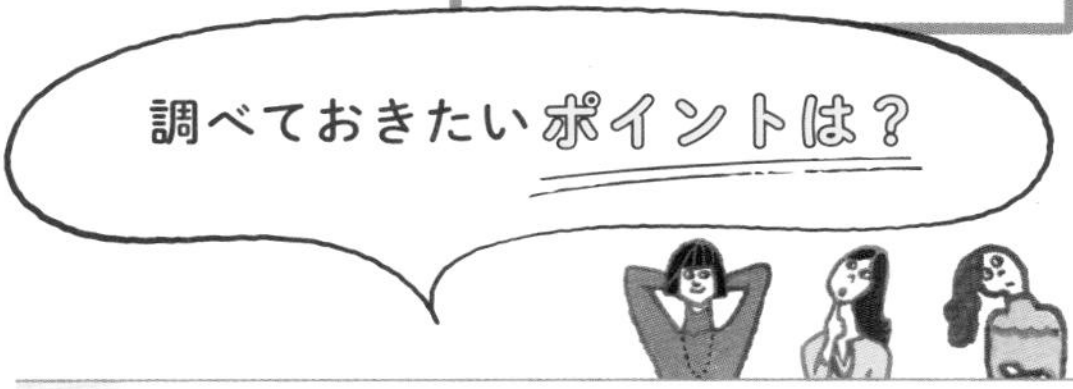

- ☑ 何歳まで働くか
- ☑ 貯蓄はどれくらいあるか
- ☑ 年金・退職金はいくらぐらい受け取れるか
- ☑ 「会社の年金」は受け取りの選択肢にどんなものがあるか

✔年金受け取り可能な確定給付企業年金(DB)がある場合

会社に長く置いておくほど1.0%以上の魅力的な金利が付与されることが多く、口座管理料など本人負担の手数料もない。住宅ローン返済などすぐに使う必要がなければ、**受け取り開始時期を遅らせることを検討したい。**

✔年金受け取り可能な企業型確定拠出年金(DC)がある場合

定年退職後の口座管理料や振込手数料が本人負担のことが多い。その場合、受け取り完了まで非課税で運用可能とはいえ、負担する費用で資産が目減りする可能性も。手数料などが本人負担なら**受給回数を少なくして、早い段階で受け取ってしまおう。**

- ☑ iDeCoはいくらぐらい受け取れるか

積み立て終了と同時に、掛け金の所得控除メリットはなくなる。また、口座管理料は少し安くなるものの、残高がある限り負担することに。**受け取り可能な時期になったら、早めの受給開始がおすすめ。**

「ねんきん定期便」で受給額を確認する

50歳以上は「ねんきん定期便」で 65歳からの受給額が分かる

「老後の収入」の柱はなんといっても、国からもらえる公的年金です。自分が受け取る年金額を確認してみましょう。

今の年齢が50歳以上なら、毎年の誕生月に届く「ねんきん定期便」を見れば、簡単に確認できます。60歳まで現状の年収が継続すると想定した年金の見込み額が記載されています。受け取り開始を70歳まで繰り下げした場合の受給見込み額もぜひチェックしてみてください。配偶者がいる場合は、夫婦２人分の額を合わせれば、老後に生活費として見込める公的年金の概算額を知ることができます。

また、厚生年金の被保険者期間が20年以上ある人は、**年金の受け取り時に「配偶者が65歳未満で生計維持の関係にある」などの条件（左ページ）に合致しているか確認を。申請することによって年間約39万円が「加給年金」として上乗せされます。**

「ねんきん定期便」、50歳以上はここをチェック！

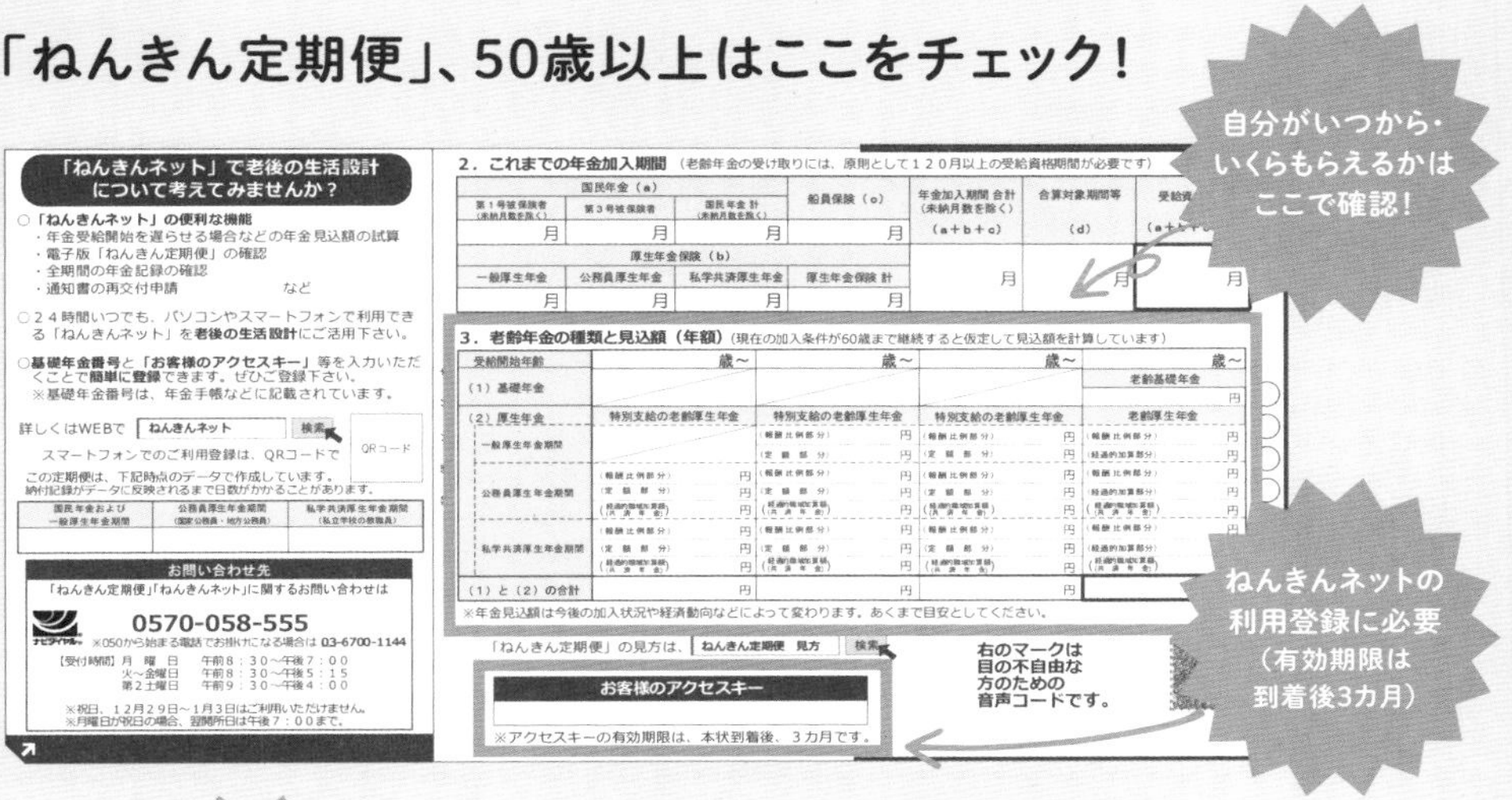

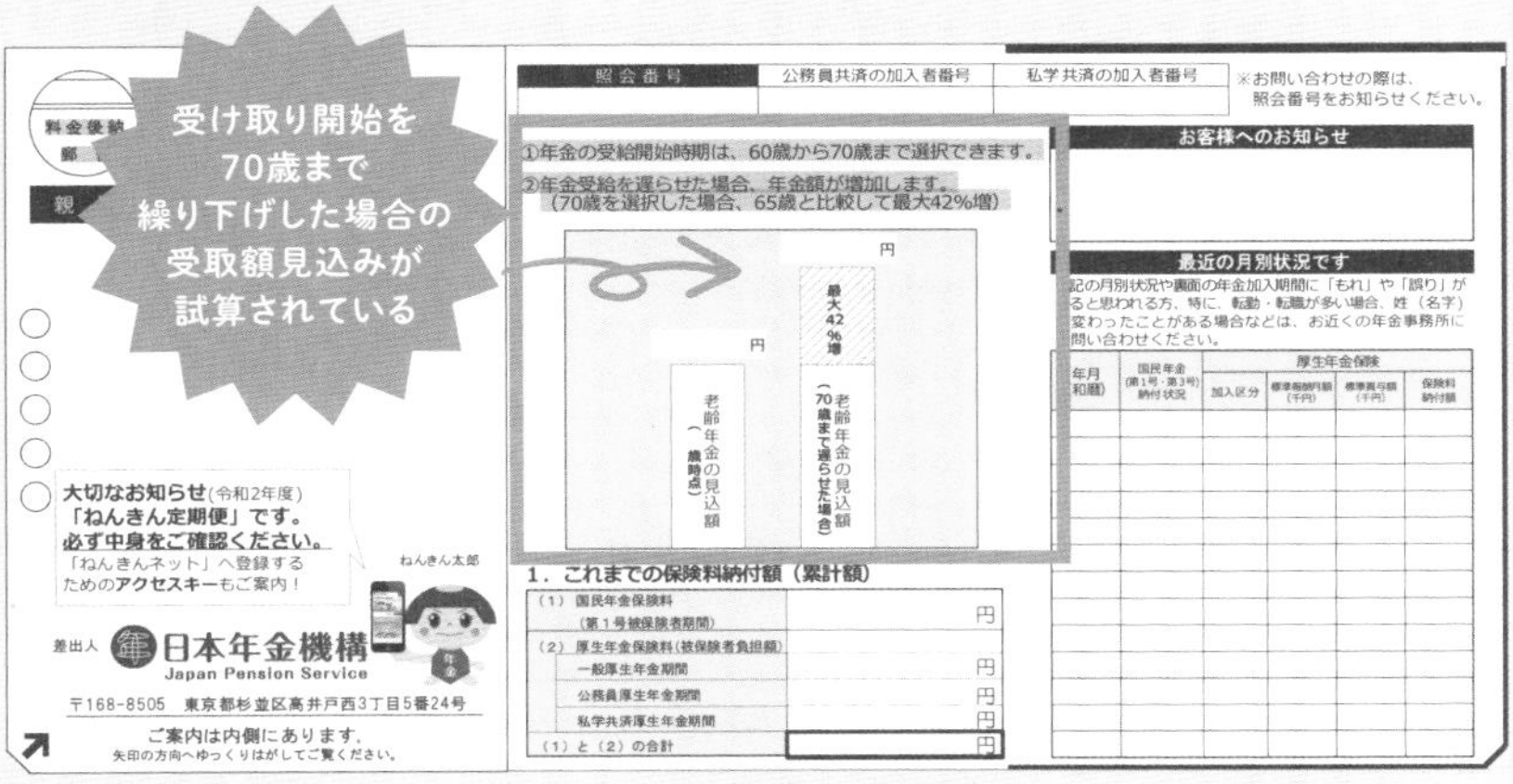

申請すれば支給される「加給年金」もある

◆加給年金（配偶者がいる場合）

1 ● 本人が厚生年金に20年以上加入

2 ● 65歳になって厚生年金を受け取り始めたときに配偶者が65歳未満で、生計維持の関係にある（前年年収が850万円未満などで判断）

3 ● 配偶者が65歳になると支給停止

※ 18歳到達年度の末日までの間の子または1級・2級の障害の状態にある20歳未満の子がいる場合にも別途支給がある。

「ねんきんネット」で詳しく試算する

働き方に合わせて条件変更OK 60歳以降働く場合の試算も

50歳未満の人に届く「ねんきん定期便」の年金額は、60歳まで納付する保険料が加味されていません。これまでの納付実績のみで受取額が試算されているので非常に小さな額になっています。

将来の納付実績を含めた額を試算するには、日本年金機構の「ねんきんネット」を活用するのがおすすめです。

使ってみたい便利なサービスの一つが「年金見込額」の試算。**働き方や今後の年収、受け取り開始年齢などの条件を自由に設定して、年金額が簡単に試算できます。**若い世代だけでなく、50歳以上の加入者も「65歳まで働いて保険料を納付したら、もらえる公的年金はどれくらい増える？」など、シミュレーションしてみましょう。他にも、「ねんきんネット」を使えば年金の加入期間や納付状況などがひと目で分かります。基礎年金番号とメールアドレスを登録すれば、誰でも利用することができるので、ぜひ活用を。

「ねんきんネット」に登録してみよう

新規登録画面にアクセスキー*、基礎年金番号、氏名、生年月日、性別、メールアドレスなどを入力。アクセスキーがある場合は、指定したメールアドレスにユーザーIDが届くのですぐにログインできる。

＊「ねんきん定期便」に記載されている17ケタの番号。届いてから3カ月有効。アクセスキーがない場合は申請すると後日、日本年金機構からハガキでユーザーIDが届く

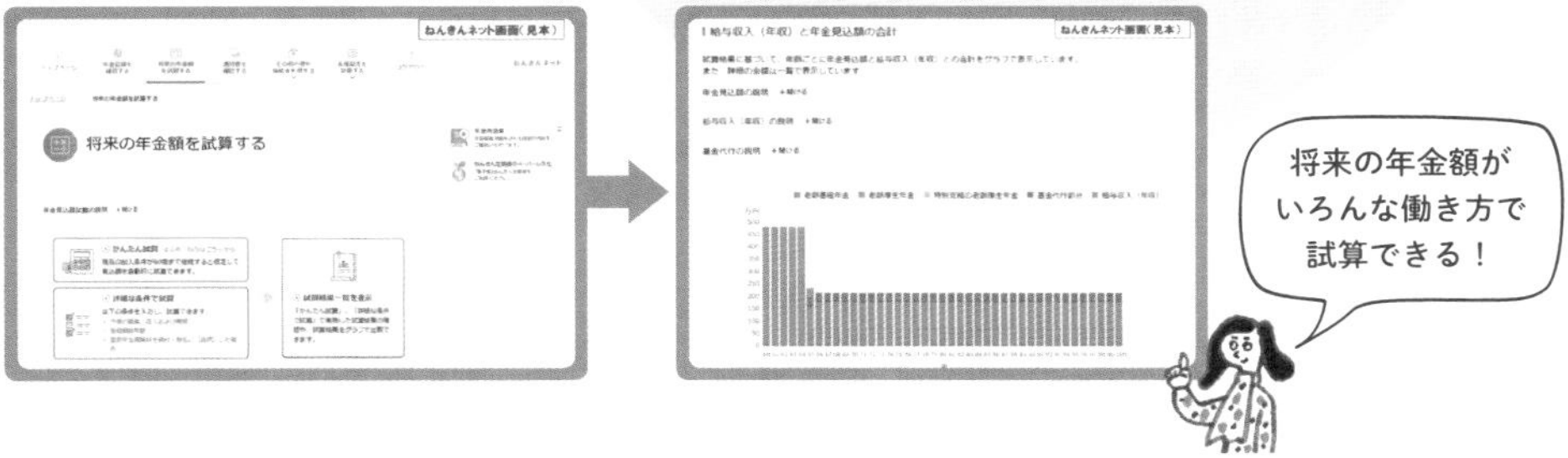

65歳まで働くと年金額も増える

◆65歳まで働き続けた場合の年金増加額（年額）イメージ

	60歳以降働かない	年収360万円で働く	年収600万円で働く
老齢厚生年金	+0円	+10万円	+16万円
老齢基礎年金	+0円	+4万円	+4万円
公的年金増加額	+0円	+14万円	+20万円

1966年生まれ、22歳から就労した場合のおおよその年金増加額。特別支給の老齢厚生年金（報酬比例部分）の支給、高年齢雇用継続給付、在職老齢年金制度による年金の一部が減額あるいは支給停止、配偶者の年金や加給年金などは考慮していない。

遅く受給するほど年金額が増える

2022年4月からは75歳まで「繰り下げ」受給が可能に

原則、65歳から受け取る老齢厚生年金・老齢基礎年金。65歳より前に受け取り始める「繰り上げ」や、65歳より遅くする「繰り下げ」も可能です。早く受け取り始めると通常よりも減額される一方、65歳から1カ月受け取り開始を遅らせるごとに、０・７％増えた額を受け取ることができます。

また、「長く働く」という時代の変化に合わせて、これまで最大70歳までだった「繰り下げ」が、２０２２年４月以降は75歳まで拡大されることになりました。**65歳からの支給予定額が月10万円だったとしても、10年繰り下げれば75歳以降にはその1・84倍となる18・4万円（＊）が生涯支払われることになります。**「長生きリスク」に備えられる非常によい仕組みなのですが、パートナーがいて、加給年金を受け取る際は要注意。**老齢厚生年金を繰り下げしている間は、加給年金は受け取れません。加給年金を受け取るには「老齢基礎年金だけ繰り下げする」などのひと工夫が必要です。**

＊ 繰り下げ中に在職老齢年金が適用されるほどの高収入を得ることは考慮していない。

「65歳」を基準に好きなタイミングで受け取れる

年金の「繰り上げ」受給 ➡ 1カ月繰り上げるごとに0.5%ずつ減額

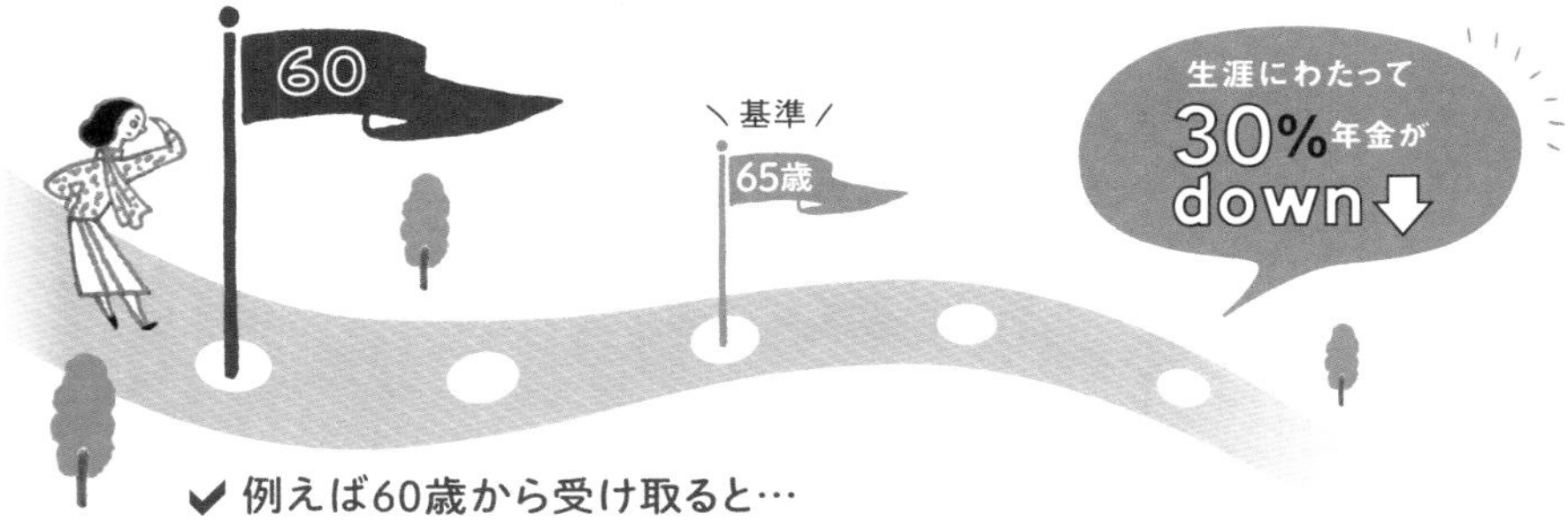
60
＼基準／
65歳
生涯にわたって
30%年金が
down
✔ 例えば60歳から受け取ると…

年金の「繰り下げ」受給 ➡ 1カ月繰り下げるごとに0.7%ずつ増額

＼基準／
65歳
70
生涯にわたって
42%年金が
up
✔ 例えば70歳から受け取ると…

大江's point

- ☑ 65歳時点で受け取り申請しなければ、自動的に繰り下げに
- ☑ 「基礎年金」だけ、「厚生年金」だけといった繰り下げも可能

News!

2022年4月～

71～75歳に受け取りを開始することも可能に。75歳から受け取ると生涯にわたって84%年金が増える！

iDeCoの受け取りパターン 1

シングル正社員、65歳まで再雇用で働く

例えばこんな人

- シングル・正社員
- 定年は60歳、65歳まで再雇用で働く
- 退職一時金がある
- 企業型確定拠出年金（企業型DC）がある

現在シングル。30歳のときに転職した会社で正社員として働いています。定年退職の60歳まで働くと、勤続30年に。勤務先には企業型確定拠出年金（企業型DC）と退職一時金の制度があります。60歳を迎えて定年退職した後は5年間再雇用で働き、その間はiDeCoに加入して積み立てをする予定。65歳以降は通訳のボランティアなどができればと考えており、働いて得る収入の見込みはありません。

課題は？

居住する地域や毎月の生活費にもよりますが、公的年金を原則通り65歳から受け取ると、生活費が年金収入だけでは足りず、貯蓄から取り崩す可能性が高くなります。再雇用で65歳まで働いた後の収入が年金のみでは、貯蓄から生活費への補填が亡くなるまで続くことに。現在の蓄えが十分であれば大丈夫かもしれませんが、長生きしたときに資金がショートするリスクがあります。

企業型DC、iDeCo、公的年金の受け取り方の例

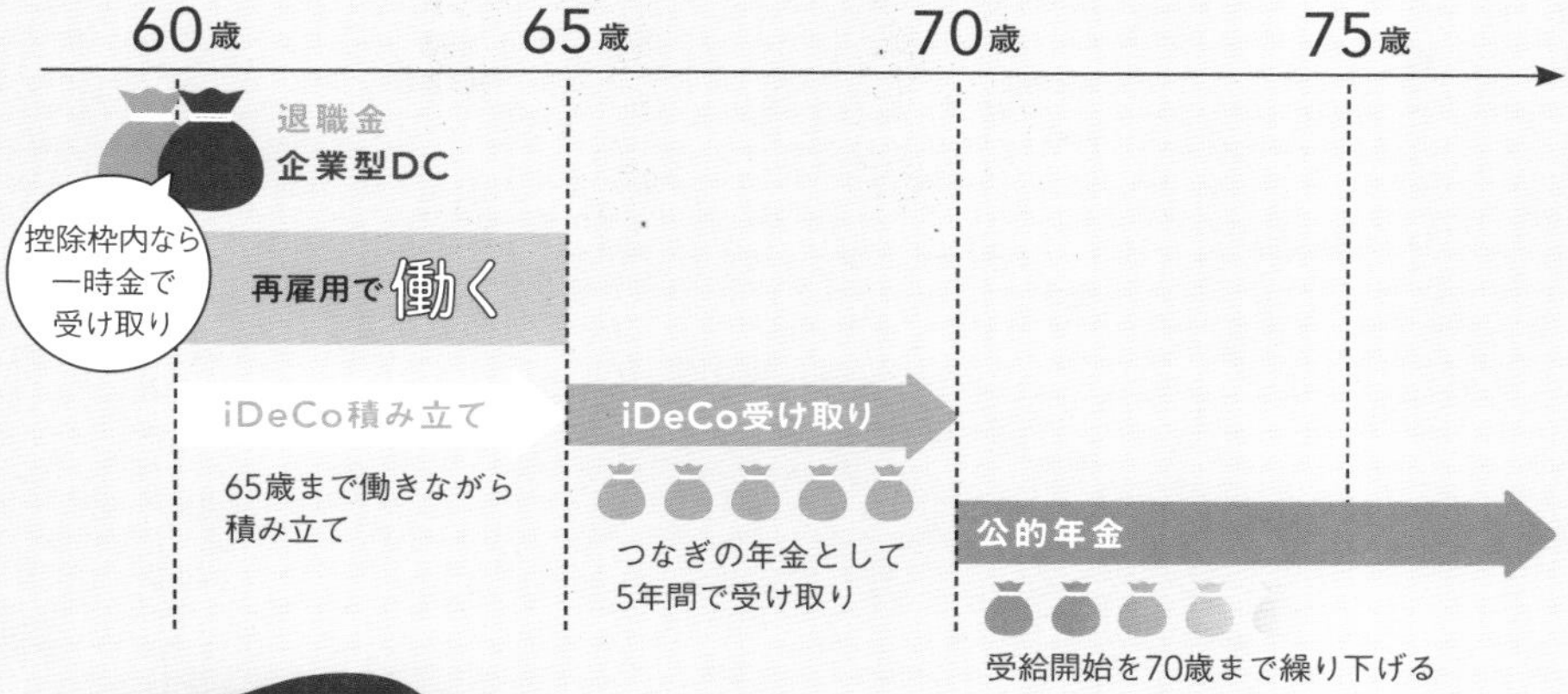

解決策

- ☑ 60歳で退職一時金&企業型DCを「一時金」でもらう
- ☑ 65歳までは再雇用で働き、iDeCoを積み立て
- ☑ 65〜70歳でiDeCoを「年金」として受け取る
- ☑ 70歳から公的年金をもらう

65歳まで「再雇用」で働くことで公的年金の額がUP。さらに、公的年金の受給を70歳まで遅らせれば、生涯にわたって年金が42%増額されます。また、勤続年数が30年あるので、定年時の退職所得控除は【40万円×20年+70万円×10年=1500万円】。控除の枠である1500万円に収まるようなら、退職一時金だけでなく企業型DCも一時金で受け取ります。60歳から65歳までは働きながら、iDeCoを積み立て、65歳からは「つなぎ年金」としてiDeCoを活用。生活費に足りない部分は、現在の蓄えや退職一時金、企業型DCで受け取った資金を充てながら、70歳から公的年金を繰り下げ受給します。

※ p.81、83、85で提案する「解決策」は、2022年5月以降の「国民年金の被保険者は65歳までiDeCoへの加入が可能になる」という法改正に基づく。

iDeCoの受け取りパターン 2

シングル正社員、会社の年金制度が充実

例えばこんな人

➡ シングル・正社員

➡ 定年は65歳、新卒から同じ会社

➡ 確定給付企業年金（DB）がある

➡ 企業型確定拠出年金（企業型DC）がある

大学卒業後は同じ会社で働き、定年は65歳。現在シングルで、老後も「おひとりさま」を満喫予定です。勤務先には確定給付企業年金（DB）と、企業型確定拠出年金（企業型DC）がありますが、いずれの制度も会社が掛け金を出してくれるのは60歳までの38年間。掛け金の控除などの節税メリットがあると聞き、60歳以降はiDeCoへの加入を検討中。65歳以降は住居費の安い地方に住もうかなと考えています。

課題は?

「おひとりさま」の老後で気になるのは、やはり年を取ったときに貯蓄が底をついてしまうのではないかという不安です。特に、DBと企業型DCの両方が使えるなど、会社の年金制度が複数あるこのケースのように恵まれている人は、「課税額を計算する際のルール」をよく理解しておきましょう。受け取る順序などを誤ると、税負担額が多くなってしまうので注意が必要です。

企業型DC、DB、iDeCo、公的年金の受け取り方の例

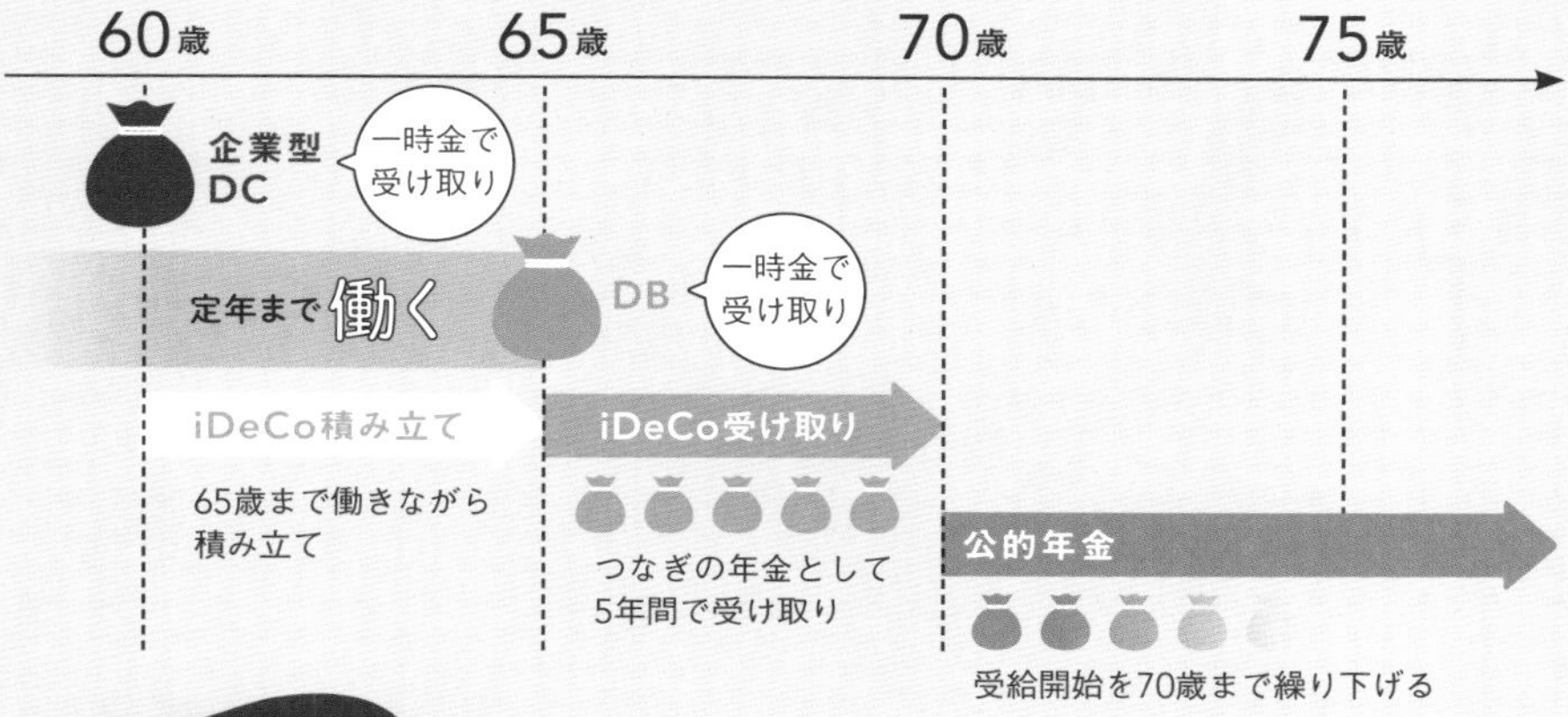

解決策

大江's suggestion

- ☑ 60歳で企業型DCを「一時金」で受け取る
- ☑ 65歳でDBを「一時金」で受け取る
- ☑ 65〜70歳でiDeCoを「年金」として受け取る
- ☑ 70歳から公的年金をもらう

60〜65歳まで積み立てしたiDeCoを65〜70歳までの「つなぎ」として、70歳まで公的年金の受給を繰り下げるのは、p.81と同じ。考えておきたいのは、「一時金」を受け取る順序です。一時金の合算対象はDBが前年以前4年分、企業型DCが前年以前14年分。このルールを考慮して、60歳時点でまず企業型DCを受け取り、65歳を迎えた後にDBを受け取れば合算されません。このパターンでは退職所得控除額は2060万円のため、それぞれの一時金につき、「2060万円」という控除枠が使えることになります。受け取り順序を逆にすると、合算対象になってしまうので要注意！

夫婦共働き、ローンを退職金で返済

iDeCoの受け取りパターン 3

例えばこんな人

- 夫婦共働き・妻は2歳年下
- 夫の勤務先は企業型DCがある
- 妻の勤務先は退職一時金がある
- 妻は45歳からiDeCoを積み立て中

妻が2歳年下の共働き夫婦で、どちらも正社員として勤務しています。夫の勤務先には企業型DC、妻の勤務先は退職一時金制度があります。妻は45歳からiDeCoに加入し、月2万円を積み立て中。夫は会社の再雇用制度の処遇を聞いて不満を持ち、現在転職活動中。妻は、現在の処遇のまま65歳の定年まで働ける予定。住宅ローン・教育ローンを夫の退職金で完済する予定です。

課題は?

夫婦それぞれに老齢基礎年金・老齢厚生年金が支払われる「Wインカムの最強パターン」。ただ、共働きの場合、配偶者が死亡した後の生活費が下がりにくい割に、支払われる遺族厚生年金の額が少ないので要注意。妻の厚生年金受給開始後に夫が亡くなった場合、妻が遺族厚生年金として受け取れるのは、自分が受け取っている厚生年金と夫の遺族厚生年金(厚生年金部分の4分の3)の差額のみとなります。

夫の企業型DC、妻の退職一時金とiDeCo、公的年金の受け取り方の例

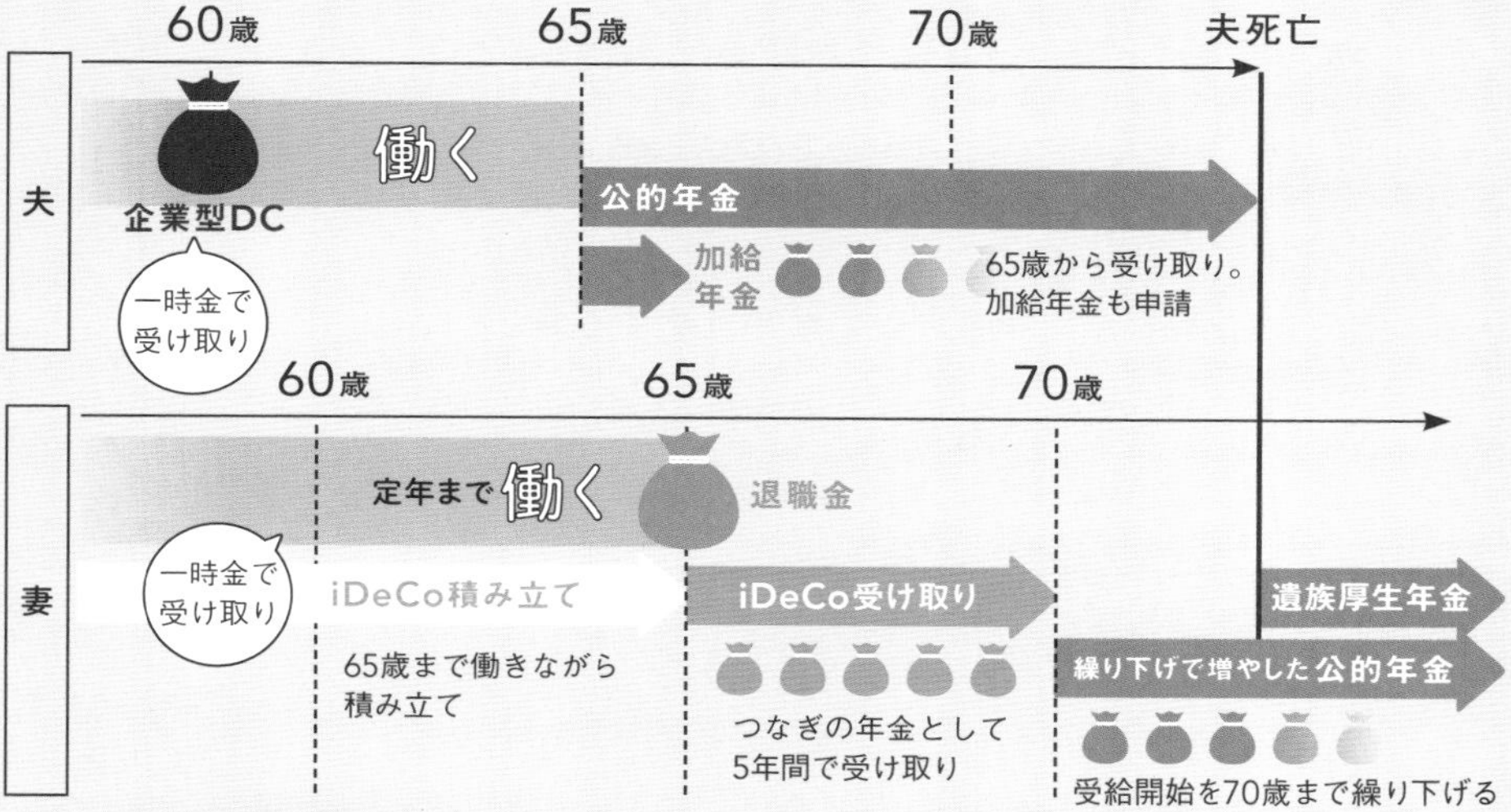

解決策

大江's suggestion

- ☑ 夫の企業型DCは60歳時に一時金で受け取る
- ☑ 夫は65歳から公的年金受給、妻が65歳になるまで加給年金も
- ☑ 妻は65〜70歳の「つなぎ年金」としてiDeCoを受給
- ☑ 妻は70歳から公的年金をもらう

夫の公的年金は原則通り、65歳から受け取ると加給年金（年39万円、p.74〜75参照）を2年間、受け取ることができます。一方、妻は70歳まで受け取り開始を繰り下げ。夫婦共働きの場合、配偶者が受け取れる遺族厚生年金は思ったよりも少ないため、1人になった際に、なるべく手厚い年金が受け取れるようにしておきましょう。70歳まで公的年金の受給開始を遅らせれば、65〜70歳の間に年金として受け取るiDeCoに、「公的年金等控除」が使えるのもポイントです。

フリーランス、70歳まで働く

例えばこんな人

- 35歳のとき 会社員からフリーランスへ
- 48歳でiDeCo& 小規模企業共済を始める
- 70歳までは働く予定

35歳のときに、会社員からフリーランスへ転身。老後のことが心配になり、48歳から、積み立て期間中の節税メリットがあるiDeCoと小規模企業共済に加入しています。上限に近い額で積み立てを継続中。仕事は健康が維持できれば、70歳ぐらいまで続けたいと思っています。

課題は？

自営業やフリーランスの公的年金は「老齢基礎年金」のみで、会社員の「老齢厚生年金」のような二階建て部分がありません。そのため、公的年金の給付額は月に約6万5000円と低いものになっています。だからこそ、iDeCoの積み立て上限は月6.8万円、小規模企業共済の積み立て上限は月7万円と、非課税制度の枠が会社員よりも大きくなっているのです。上限に近い金額で積み立てを10年以上続ければ、相当な額が貯まります。一時金・年金に関わらず、合算されないように受け取るタイミングを意識しないと課税対象額が大きくなってしまいます。

iDeCo、小規模企業共済、公的年金の受け取り方の例

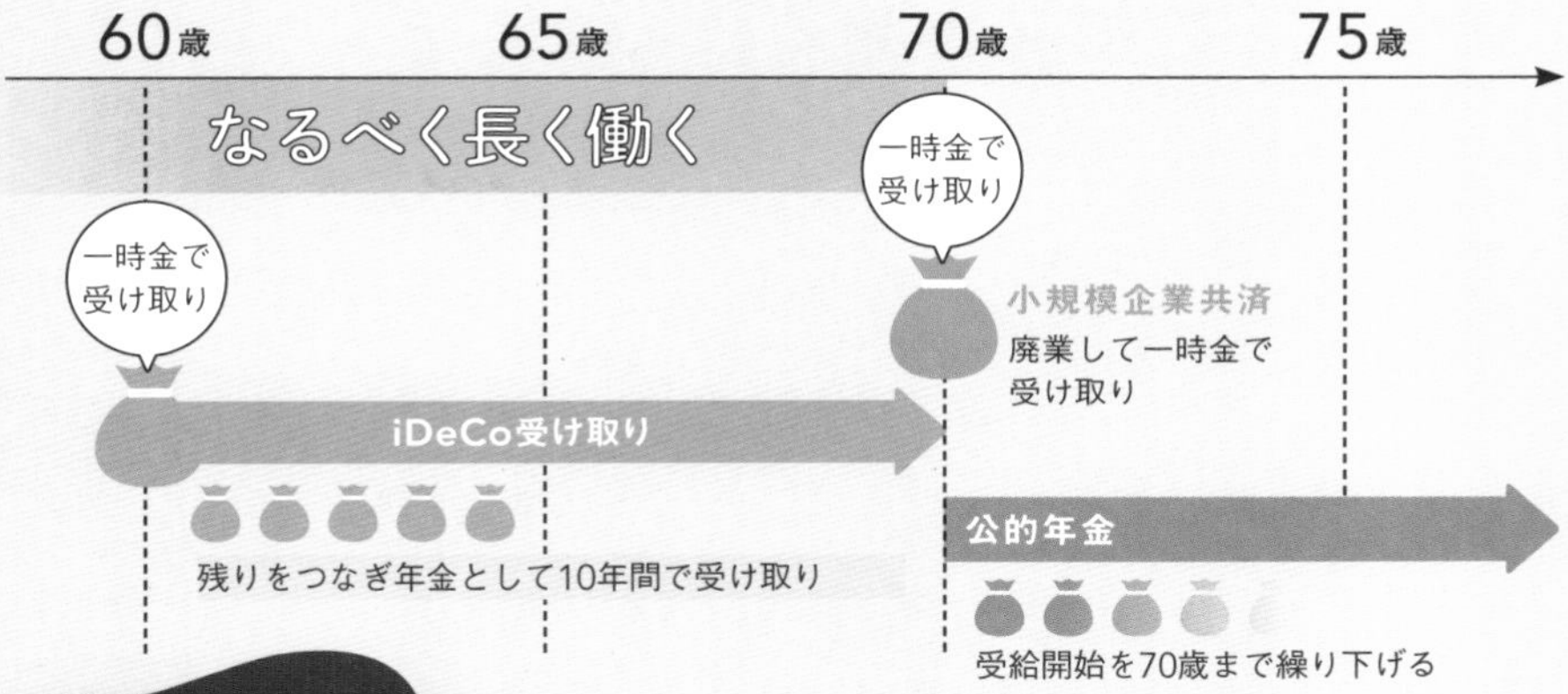

解決策

大江's  suggestion

- ☑ 60歳でiDeCoの一部を「一時金」で受け取る
- ☑ 退職所得控除を上回る部分のiDeCoは「年金」で受給
- ☑ 70歳で廃業し、小規模企業共済を受け取る
- ☑ 70歳から公的年金をもらう

自営業やフリーランスは、元気なうちは仕事を続けて、公的年金をできるだけ繰り下げるのがポイント。iDeCoは60歳の加入（積み立て）終了と同時に一時金で受け取り、仕事を廃業する70歳ごろに、小規模企業共済を受け取れば「一時金」として課税額の合算対象になりません。退職所得控除を上回る額のiDeCoについては、年金として受け取ればOK。公的年金等控除を活用できて、さらに税負担を減らすことができます。もしも、国民年金の未納期間がある場合は、60歳以降に国民年金へ任意加入の手続きをすれば、国民年金が満額もらえる納付期間40年までは納付継続ができます。「終身」で受け取れる公的年金の額を少しでも増やすことが、安心につながります。

「会社の年金」は転職先に持ち運ぼう

年金資産を持ち運んで老後資金づくりを継続

60歳前に離職や転職をするときは、年金で受け取れる確定給付企業年金（DB）や企業型確定拠出年金（企業型DC）であれば転職先やiDeCoなどに持ち運んで、60歳以降に老後資金として受け取ることができます。60歳を迎える前に退職金として、一括で受け取ってしまうと、子どもの教育資金やマイホーム購入などに使ってしまいがちですが、そうした事態も避けることができます。

また、年金資産を転職先に持ち運ぶ場合は、前の会社の勤続期間も通算して退職所得控除を計算します。p.71で紹介したように、退職所得控除は勤続期間が20年以下では1年につき40万円しか増えませんが、20年を超えると1年につき70万円が加算されます。**これまでの年金資産を転職先に持ち込んで通算することで、勤続年数が20年を超える確率もアップ。一時金として税金がかからずに受け取れる額の枠が大きくなります。**

転職しても年金資産は持ち運べる

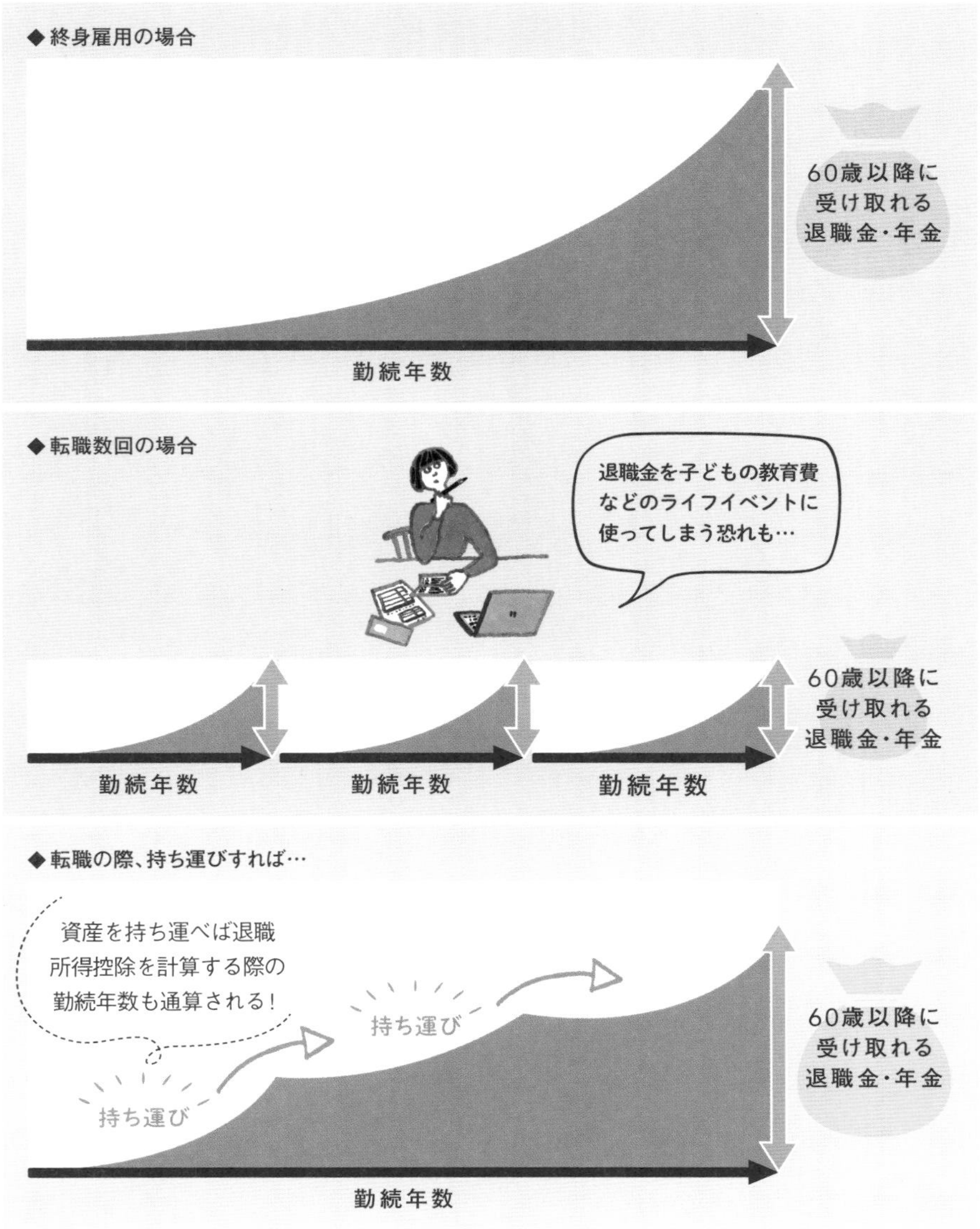
◆ 終身雇用の場合
60歳以降に
受け取れる
退職金・年金
勤続年数
◆ 転職数回の場合
退職金を子どもの教育費
などのライフイベントに
使ってしまう恐れも…
60歳以降に
受け取れる
退職金・年金
勤続年数
勤続年数
勤続年数
◆ 転職の際、持ち運びすれば…
資産を持ち運べば退職
所得控除を計算する際の
勤続年数も通算される！
持ち運び
持ち運び
60歳以降に
受け取れる
退職金・年金
勤続年数

「確定給付企業年金」を持ち運ぶ

他の年金制度に資産を移換 元の会社で運用続ける選択肢も

確定給付企業年金（DB）は、中途退職すると一時金で受け取るか、他の年金制度に持ち運ぶことになります。持ち運ぶ際は、受け入れ先にその旨を伝えると手続き書類が届くので、必要事項を記入し提出します。

転職先の企業型確定拠出年金（企業型DC）やiDeCoに持ち込む際は、その資産の運用商品を指定できる場合もあり、「移す」と「運用」の手続きを一気に済ませられます。また、**「通算企業年金」は、企業年金連合会（＊）という団体に資産を持ち込み、原則65歳から終身年金で受け取る仕組み**です。他の選択肢と違い、年金資産の積み増しができません。事務費や利率を加味した年金額が試算できるので、判断材料として活用してください。

一方、**長期勤続者の場合、中途退職後も元のDBで資産を預かってくれることも。**市中金利よりも高い金利が付き、60歳以降に年金または一時金で受け取れます。転職の際は会社が提示する選択肢をよく確認しましょう。

＊企業年金連合会は、退職や転職、制度の終了によって定年まで元の企業年金制度にいられなくなった人の年金資産を預かり、将来給付を行う団体として1967年につくられた。年間約700万人に3500億円以上（令和元年度業務報告書）の年金を支払っている。

確定給付企業年金（DB）の持ち運び先

	転職先の会社の企業年金制度		iDeCo	通算企業年金
	DB	企業型DC		
DB →	△*	○	○	○

＊転職先のDBが一時金相当額を受け入れ可能な場合に限る。

「通算企業年金」の仕組み

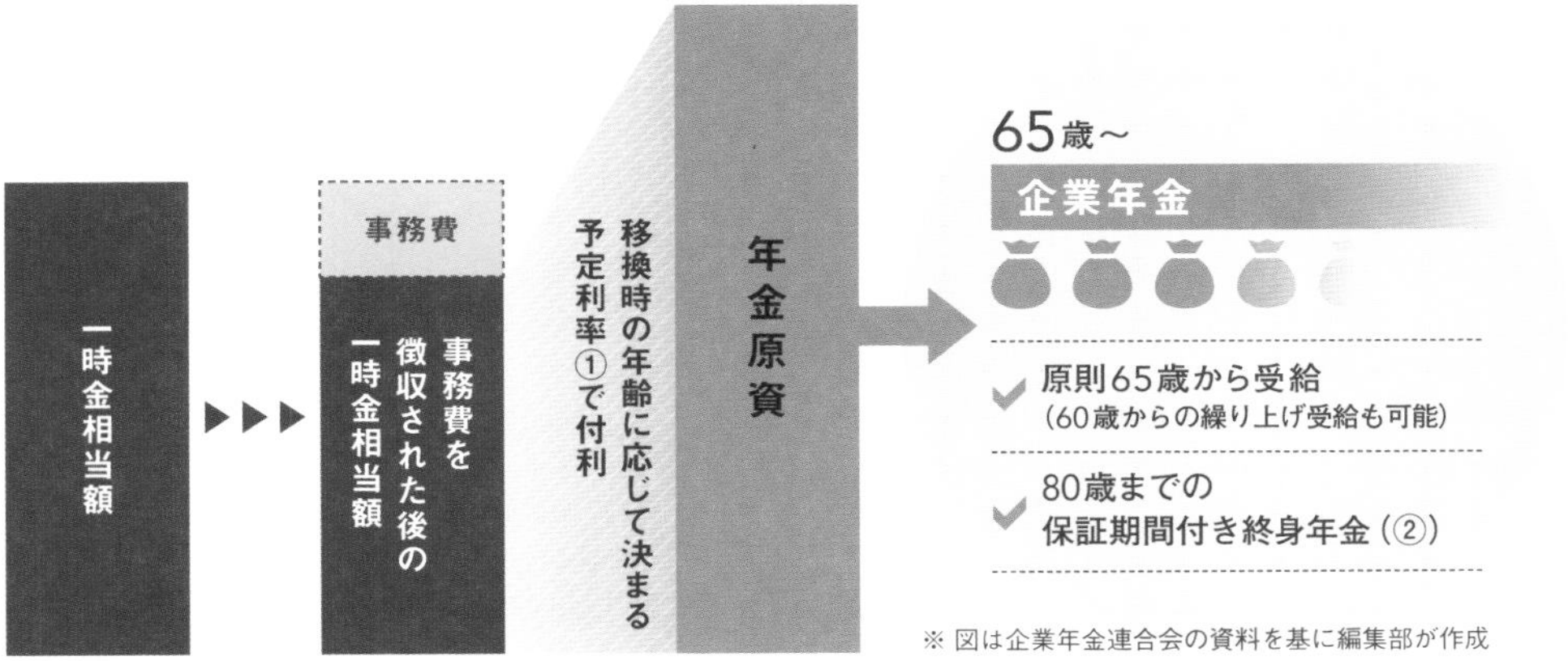

※ 図は企業年金連合会の資料を基に編集部が作成

① 移換時の年齢に応じて決まる予定利率

移換時年齢	予定利率
45歳未満	1.50%
45歳以上55歳未満	1.25%
55歳以上65歳未満	1.00%
65歳以上	0.50%

② 事務費や利率を加味した年金額が試算できる

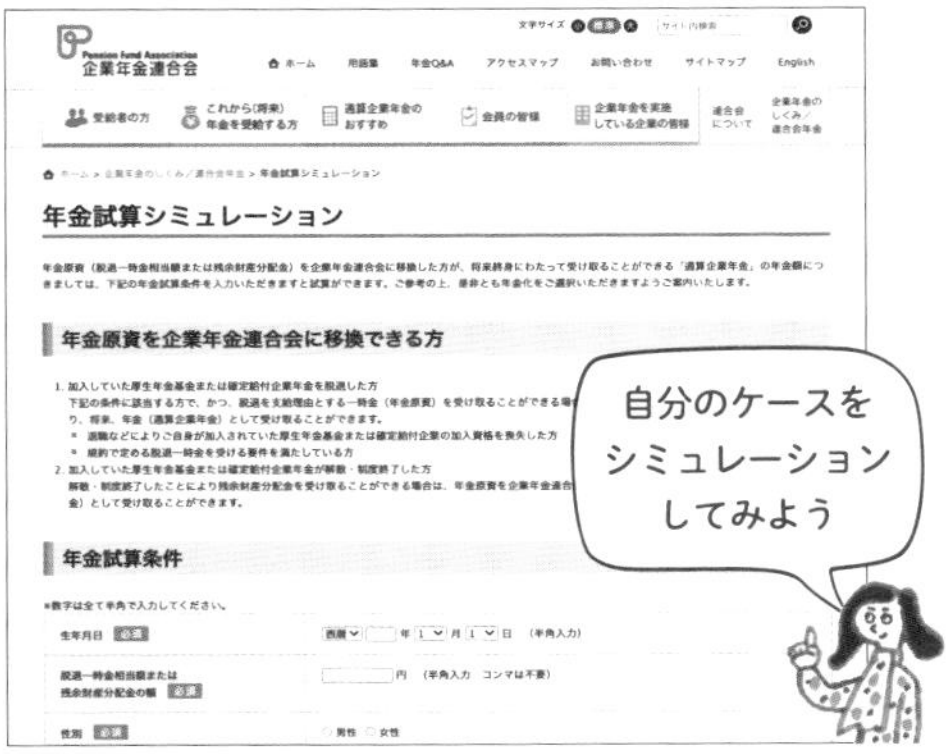

https://www.pfa.or.jp/pwap/pub/shisan/nenkin

「企業型確定拠出年金」を持ち運ぶ

退職後6カ月以内に資産の移換手続きを

企業型確定拠出年金（企業型ＤＣ）の移換手続きは、退職後早めに行いましょう。手続きをせずに6カ月経過すると「自動移換者」となり、さまざまなデメリットが生じます（左ページ）。**転職先に確定給付企業年金（ＤＢ）や企業型ＤＣがある場合は、そこへ資産を移します。**会社が資産を積み増ししてくれる上、口座管理料もかかりません。**転職先がＤＢや企業型ＤＣを導入していない場合はｉＤｅＣｏに移換。**掛け金や口座管理料などが自己負担ですが、掛け金は全額所得控除になり、老後資産を増やしていくことができます。２０２２年5月からは「通算企業年金」への移換も可能になりますが、資産の積み増しはできないため注意が必要です。

なお、「資産の移換」は現金化して行うため、売却されるタイミングで市況が下落している恐れも。投資信託などを保有している場合は、移換手続き前に自分で売却して、預金に預け替えしておくことをおすすめします。

企業型確定拠出年金（企業型DC）の持ち運び先

	転職先の会社の企業年金制度		iDeCo	通算企業年金
	DB	企業型DC		
企業型DC →	△*	○	○	○

2022年5月から移換OKに！

＊ 転職先のDBが資産受け入れ可能な場合に限る。

早めに自分で手続きしないと損！「自動移換」のデメリット

×	自動移換する際の手数料4348円、管理手数料が月52円、他の年金資産への移換手数料1100円などが徴収され、年金資産が目減りする。
×	自動移換の間は現金の状態で管理されるため、運用ができない。
×	自動移換の間は加入者期間に算入されないので、受給開始の時期が遅くなる可能性がある。
×	60歳以降になっても受け取れない。手数料を払ってiDeCoへ移換してから受け取る必要がある。

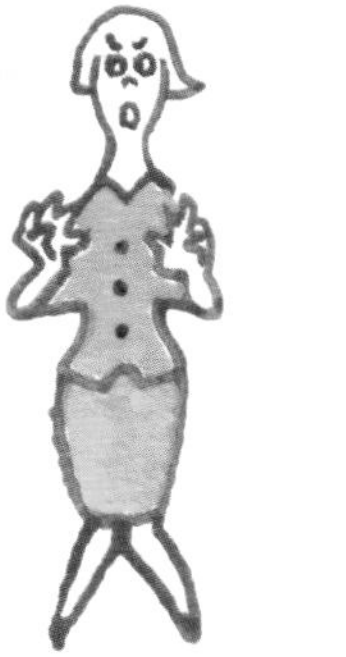

前職での企業型DCが自動移換されているかも？という人は「基礎年金番号」を用意して、下記に問い合わせを！
自動移換者専用コールセンター
03-5958-3736【平日 9:00～17:30】

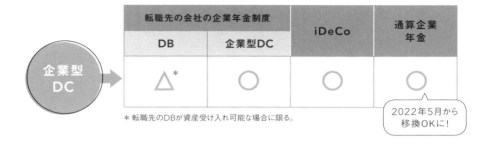

「iDeCo」を持ち運ぶ

iDeCoをそのまま続けるなら「属性変更」を忘れずに

　iDeCoも転職先に確定給付企業年金（DB）や企業型確定拠出年金（企業型DC）があれば移換できます。そうでなければ、「属性変更」をして続けることになります。iDeCoは、自営業や会社員、公務員などの働き方によって掛け金の上限が異なります。被保険者種別や勤務先情報といった拠出限度額に関わる変更手続きは、転職を決めた段階でなるべく早く行っておきましょう。**転職して拠出限度額が下がるのに変更手続きをしていないと、上限を超えて買ってしまった商品残高は売却され、1500円程度の手数料が徴収された上で、戻ってくることになります。**

　2022年10月以降は、企業型DCとiDeCoの同時加入要件が緩和。これまで転職先の企業に企業型DCがある場合、iDeCoの加入資格を失うことがありましたが、**今後は転職先に関わらずiDeCoで老後資産の積み増しを続けることができるようになります。**

iDeCoの持ち運び先

	転職先の会社の企業年金制度		iDeCo	通算企業年金
	DB	企業型DC		
iDeCo	△*	○	○	×

* 転職先のDBが資産受け入れ可能な場合に限る。

早めに「属性変更」手続きをしておこう！

iDeCoの「掛け金上限」は働き方で異なる

職業		掛け金上限
会社員（DBのみに加入／DBと企業型DCに加入）	➡	月1万2000円／年14万4000円
会社員（企業型DCのみに加入）	➡	月2万円／年24万円
会社員（DBや企業型DCがない）	➡	月2万3000円／年27万6000円
公務員	➡	月1万2000円／年14万4000円
自営業者	➡	月6万8000円／年81万6000円
専業主婦（主夫）	➡	月2万3000円／年27万6000円

COLUMN #3

離職の際は年金資産の手続きもお忘れなく!

私の前職の会社では確定給付企業年金(DB)と企業型確定拠出年金(企業型DC)があり、DBには、①退職時点ですべて一時金として受け取る、②一部だけ一時金で受け取る、③すべて60歳以降まで受け取りを繰り延べる、という3つの選択肢がありました。**繰り延べると年2%の利息を付けてくれるというので、迷わず③を選択**。勤続年数が20年を超えていたこともあり、思ったよりもまとまった額になっていて、「会社が給与以外に私のためにこんなに積み立ててくれていたんだ、ありがたい」と思った記憶があります。そして、**企業型DCの資産はiDeCoに移換**。資料を取り寄せた段階で、手続きが終わったような気になって放置してしまい、退職後4カ月目ぐらいにコールセンターの方から「早く手続きを始めてくださいね!」とリマインドが。慌てて手続きを進めたことを思い出します。以降は、**ずっと自分で掛け金を出して、資産を積み増ししながら運用を継続しています**。

PART

4

早めの準備&心構えを 医療・介護・相続

「お金がたくさんかかりそう」と不安を抱きがちな老後の医療費。
年齢を重ねるにつれ、直面する親の介護や相続の問題も。
いざというときに慌てないよう、
頭に入れておくと役立つ制度や知識をまとめました。

医療

老後の医療費は思ったよりもかからない

実際に負担する額を見てみると

窓口で自己負担する額は微増も「保険料」は現役時代の5分の1に

「老後の医療費」について、今から心配している人も多いでしょう。しかし、左ページの「年齢別にかかる医療費」のグラフを見ると、医療費のうち、自己負担する額や保険料は、そう高くないことに驚くはずです。

例えば、50～54歳の現役世代と85～89歳の高齢者で比べると、医療費（年額）は22・9万円から、その4・6倍の105・6万円に増加。しかし、**実際に窓口で支払う自己負担額は8・3万円と現役時代より約3万円増えただけです。**しかも**公的医療保険の保険料は年収などに応じて決まるため、収入の多い現役世代の約5分の1に減っています。**日本の医療制度は年を取ったとき、少ない費用負担で医療が受けられるようになっているのです。ただし、医療財政はひっ迫しているので、収入が一定以上ある高齢者の自己負担率は、徐々に引き上げられています。それでも自己負担額が高額になったときは、負担軽減の仕組みも使えるため、過度に心配する必要はありません。

現役時代と退職後、医療費の「自己負担額」と「保険料」は？

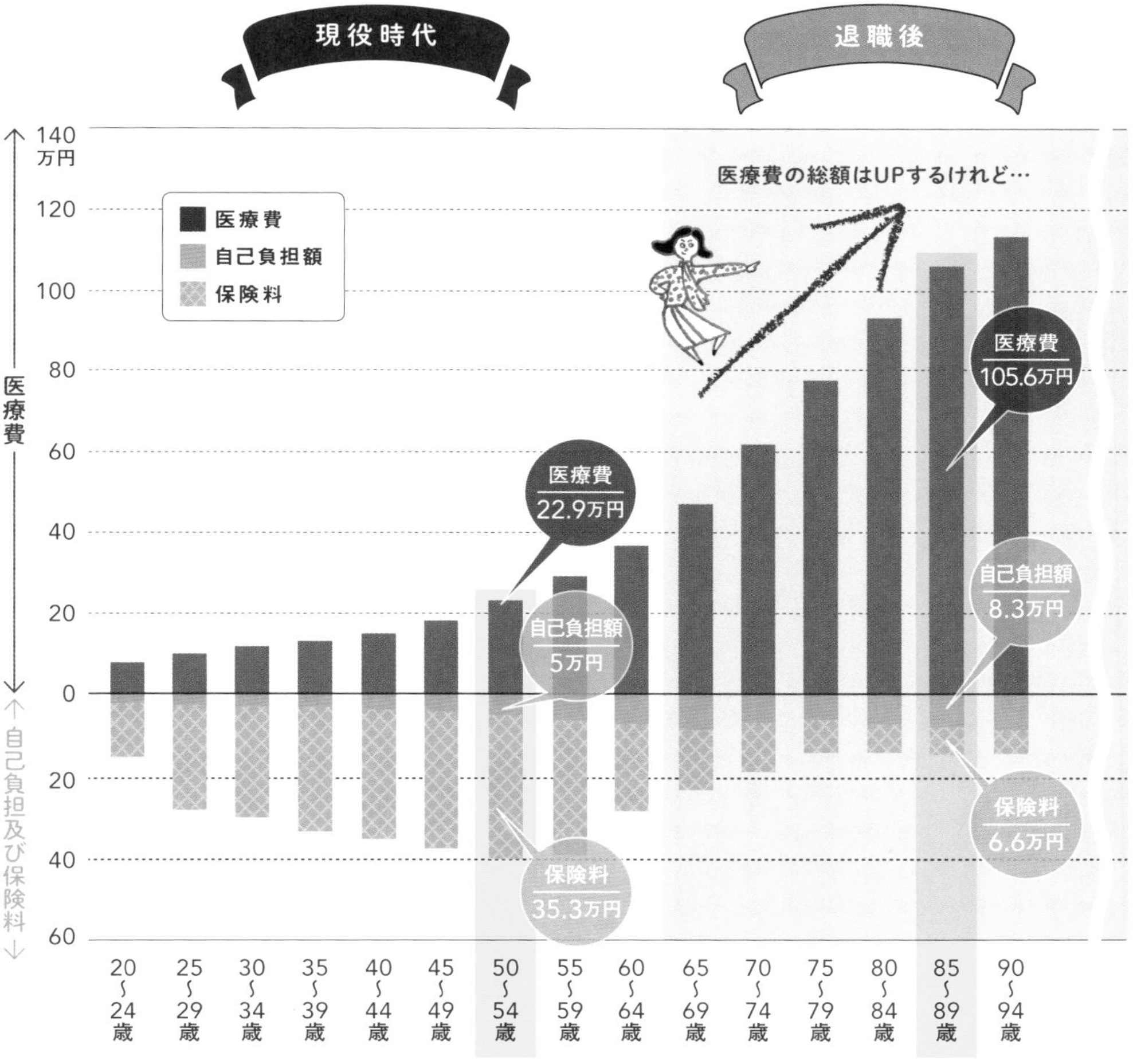

※ 出所：厚生労働省「年齢階級別1人当たり医療費、自己負担額及び保険料の比較（年額）」（平成29年度実績）より、20〜94歳のデータを抜粋。保険料は公的医療保険。

知っておきたい「定年後の医療」

70歳以上の医療費
自己負担率は原則1〜2割

日本の医療制度は「国民皆保険」。高齢になっても保険制度に加入し、所得などに応じた保険料を支払います。75歳になると、「後期高齢者医療制度」に入ることになりますが、それまでは①退職前に加入していた健保(最長2年)、②国民健康保険、③被扶養者として加入する家族の健康保険、のいずれかを選択して加入します。

また、医療機関の窓口で支払う医療費の自己負担率は年齢で異なります。現役時代の自己負担率は3割ですが、**70歳になると原則2割に、75歳以上は原則1割**(＊1)まで下がります。**手術・入院などで上限を超えて負担した額が、申請すれば払い戻される「高額療養費制度」も、医療費が増える70歳以上は現役並み所得者でなければ負担が軽くなるように、自己負担限度額が低くなっています。**老後の医療費の自己負担は思ったよりも多額にならないので、保険料の高い民間保険でなく貯蓄でカバーするのがおすすめです。

退職後の医療保険制度、選択肢は3つ

1 現在の健保組合の任意継続(2年)

これまで入っていた健保に最長2年間、任意加入できる。ただし、これまで会社と「折半」していた保険料は原則、全額自己負担に。退職時の給与が高い場合、国保より割安になることも。

2 国民健康保険

主に市区町村が運営。住んでいる市区町村によって、保険料の計算方法や料率が異なる。多くは1世帯の加入者数と年齢、前年の所得などを基に保険料を計算する。

3 家族の健保組合(被扶養者)

配偶者や子どもなど、家族の勤務先の健保に「被扶養者」として加入。60歳以上は年収180万円未満、かつ同居の場合は収入が扶養者の半分未満など、いくつもの条件を満たす必要がある。

70歳以上の多くは1～2割と自己負担率が軽くなる

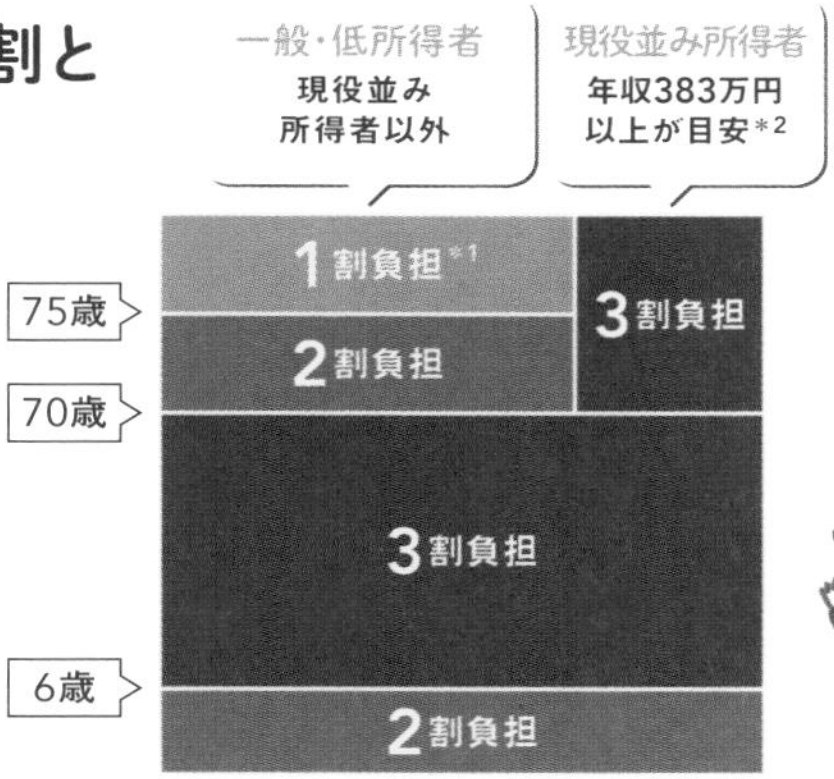

＊1 2022年度後半から、単身なら年収200万円以上、複数人世帯なら75歳以上の年収合計320万円以上が2割負担となる予定。

＊2 単身世帯の場合。夫婦2人世帯では年収520万円以上が目安。

高額療養費制度(70歳以上)・1カ月の負担の上限額

所得区分		自己負担限度額	
		通院(個人単位)	入院＋通院(世帯単位)
現役並み所得者	年収約370万～約770万円 ＊3	8万100円＋(医療費総額－26万7000円)×1% ＊4	
一般	年収約156万～約370万円	1万8000円 ＊5	5万7600円 ＊4
低所得者	住民税非課税	8000円	2万4600円
	年金収入80万円以下など総所得金額がゼロ		1万5000円

＊3 現役並み所得者は、他に「年収約770万～約1160万円」「年収約1160万円以上」の2つの区分がある。

＊4 高額療養費として払い戻しを受けた月数が1年間で3回以上あった場合、4回目からは上限が4万4400円とさらに引き下げられる。

＊5 年間の上限は14万4000円。

介護が必要になったら自治体の窓口へ

「要介護認定」の申請をして審査・判定を受ける

年齢を重ねるにつれ、だんだん気になってくるのが、親の健康や介護の問題。「まだまだ先」と思っていると、いざ直面したときにパニックになったり、親や自分にとって残念な選択をしてしまい、後悔することになったりします。介護について基本的な知識を、今のうちから押さえておきましょう。

支援や介護が必要になったら、まずは高齢者介護の相談窓口となる「地域包括支援センター」や、自治体の高齢者福祉課などに相談します。「要介護認定」の申請をすると、介護が必要な状態かどうか、本人や家族から聞き取り調査が行われます。同時に、かかりつけ医にも心身の状態について意見書を作成してもらいます。

それらを基に医師や看護師、福祉職員などが、どのくらいの介護を必要としているか、「要介護状態」を審査。**認定なし、要支援1・2、要介護1～5の区分で判定され、介護保険で利用できるサービスや回数が決まります。**

介護保険サービス利用の流れ

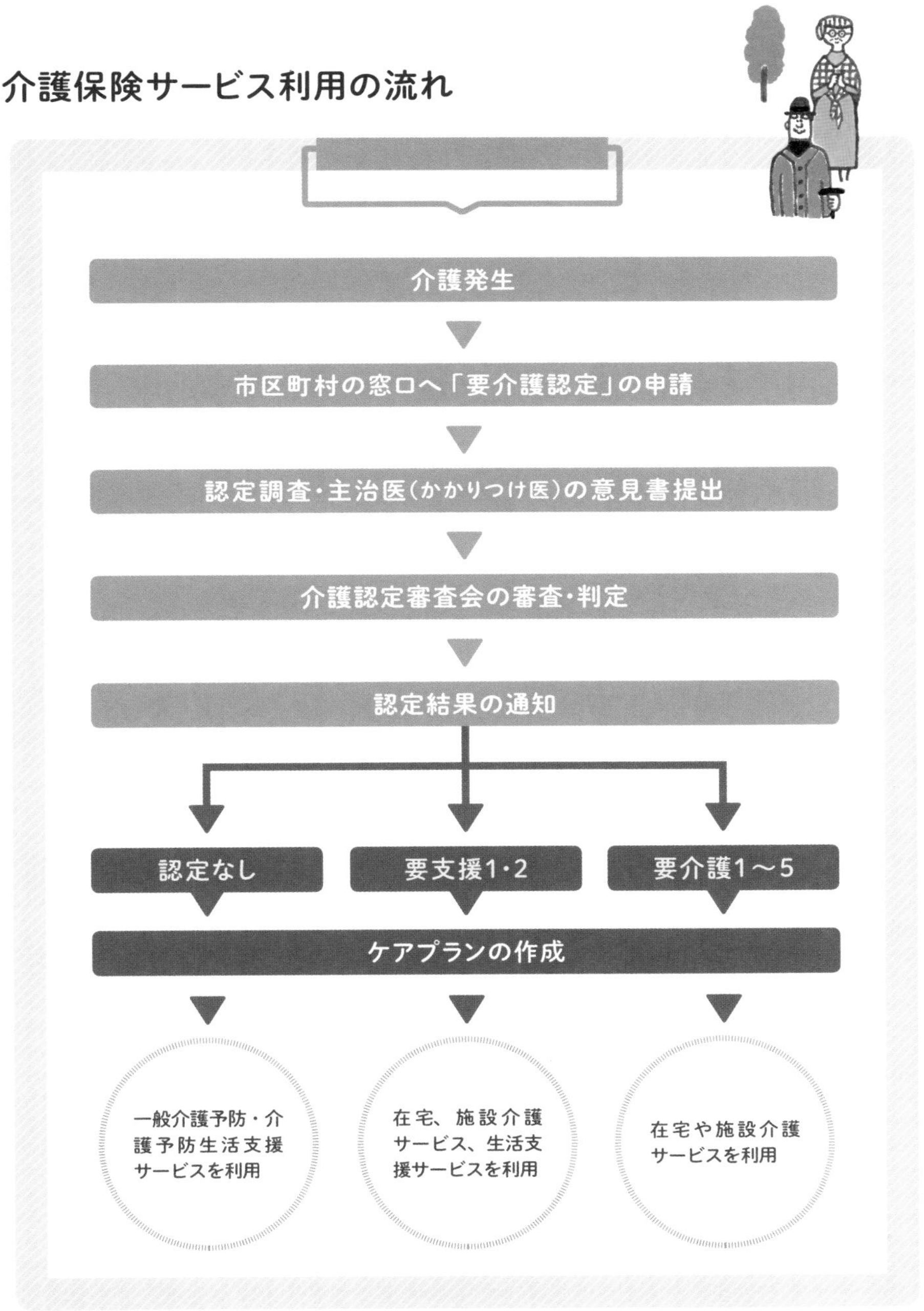
介護発生
市区町村の窓口へ「要介護認定」の申請
認定調査・主治医（かかりつけ医）の意見書提出
介護認定審査会の審査・判定
認定結果の通知
認定なし
要支援1・2
要介護1〜5
ケアプランの作成
一般介護予防・介護予防生活支援サービスを利用
在宅、施設介護サービス、生活支援サービスを利用
在宅や施設介護サービスを利用

「居宅サービス」と「施設サービス」がある

ケアマネジャーには希望をしっかり伝えよう

介護サービスは**自宅に住みながら受けられる「居宅サービス」と施設に入居する「施設サービス」があります。**居宅サービスには、買い物や掃除、入浴介助などの訪問サービスをはじめ、介護施設に通う「デイサービス」、短期間施設に泊まる「ショートステイ」などが含まれます。また介護保険制度の施設は、特別養護老人ホーム、介護老人保健施設、介護療養型医療施設、介護医療院の４つ。**介護保険の対象となる施設サービス費の1割（一定以上所得者は2割）、その他に居住費、食費、日常生活費がかかります。**

介護サービスは非常にバラエティーに富んでいるので、親や自分が困っていることをケアマネジャーにきちんと伝えれば、それに沿ったプランや利用施設を提案してもらえます。逆に希望を伝えないとパターン化されたケアプランとなってしまいます。**親の意志はもちろん、自分が仕事と介護を両立する上でカバーしてほしいことを事前に整理しておきましょう。**

限度額の
範囲なら
原則1割負担！

居宅サービスの利用限度額（月額）

介護の必要度（低い→高い）

段階	目安	利用限度額
要支援1	掃除や身の回りの動作の一部に何らかの介助が必要	5万30円
要支援2	掃除や身の回りの動作の一部に何らかの介助が必要。入浴時に背中を洗えず、浴槽をまたげない	10万4730円
要介護1	基本的に1人で生活できるが、運動機能の低下、思考力や理解力の低下、問題行動が見られる	16万6920円
要介護2	見守りがあれば着替えはできるが、排せつや入浴での介助が必要	19万6160円
要介護3	排せつ、入浴、着替えのすべてに介助が必要で、認知症の症状に対応が必要	26万9310円
要介護4	認知症による暴言や暴力、徘徊などの症状に対しての対応が必要	30万8060円
要介護5	寝たきりで食事やオムツ交換、寝返りが自分ではできない。話をしても応答がなく理解が難しい	36万650円

※1単位＝10円で換算。東京23区は1単位＝11.4円。
出所：厚生労働省　介護サービス情報公表システムHP　介護保険の解説「サービスにかかる利用料」。「目安」部分は編集部が作成。

「特別養護老人ホーム」施設サービス自己負担額の目安（月額）

●「要介護5」の人がユニット型個室を利用した場合

施設サービス費の1割	約2万7500円
居住費	約6万円（1970円/日）
食費	約4万2000円（1380円/日）
日常生活費＊	約1万円（施設により設定）

合計
約13万9500円

※ 出所：厚生労働省　介護サービス情報公表システムHP　介護保険の解説「サービスにかかる利用料」
＊ オムツ代、シーツのクリーニング、理美容費など

介護サービスの負担は「原則1割」

限度額を超えて高額になると「高額介護サービス費」も

介護サービスを利用した場合の利用者負担は、**要介護度で認められている限度額のサービス内（p.105）であれば、かかった費用の原則1割（一定以上の所得者の場合は2割または3割）です。**しかし、仕事をしながらの介護となると時間延長や回数を増やす「上乗せサービス」や、配食サービスなどの介護保険外の「横出しサービス」が必要になることも。そうした費用については、全額自己負担になります。

介護費が高額になってしまった場合、医療の「高額療養費」と同様に個人や世帯によって決められた月々の上限額を超えた分を、「高額介護サービス費」として申請すれば介護保険から支給されます。

ただし、これは介護保険が適用されるサービスのみ対象となり、介護施設に入所したときの食費や部屋代、介護のための住宅改修費用などは対象外となります。

自己負担は要介護度に応じた利用限度額の1～3割

申請すれば「高額介護サービス費」も利用できる

月の上限額を
超えた分が
介護保険から支給

対象者	上限額（月額）
● 生活保護受給者など	1万5000円/個人
● 前年の合計所得金額と公的年金など収入額の合計が年間80万円以下	2万4600円/世帯 1万5000円/個人
● 住民税非課税世帯	2万4600円/世帯
● 住民税課税世帯	4万4400円/世帯

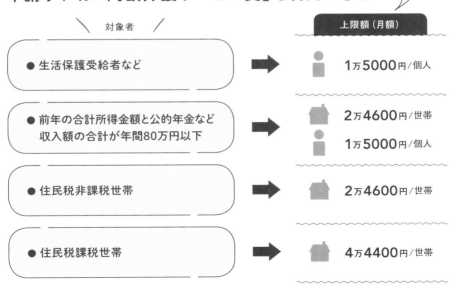

施設や条件によって大きな差

介護施設の費用はどれくらい？

**施設の種類はもちろん
要介護度や居室タイプで費用に差**

在宅介護での日常生活に限界が見えてくると、「施設に入所し、サポートしてもらう」ことも、選択肢となります。公的施設である「特別養護老人ホーム」は、要介護3以上の常時介護が必要な高齢者が対象。他にも、病院からの在宅復帰を目的に、3～6カ月間などリハビリをする「介護老人保健施設」、認知症の高齢者（要支援2以上）が、ヘルパーの援助を受けながら共同生活する「グループホーム」も、公的施設です。**公的施設にかかる費用については、要介護度と所得によって変わります。**

民間施設はサービスも費用もいろいろですが、介護職員（ヘルパー）が24時間365日常駐しており、食事や入浴の介助といった生活支援はどの施設でも受けられます。グレードが高い施設でないと、生活支援が十分に受けられないわけではありません。費用の目安とその理由を、専門家に聞いて左にまとめたので参考にしてください。

介護施設の気になる費用は？

	名称	生活支援サービス	介護保険サービス	前払い金	月額費用	費用に差が出る理由は？
公的施設	特別養護老人ホーム	○	施設スタッフによるサービスを提供	不要	約5万～15万円	居室タイプにより大きく異なる。居住費と食費は所得に応じて減免措置が受けられる。介護費用は要介護度によって異なる。
	介護老人保健施設	○			約6万～16万円	
	グループホーム	○		ホームによる	約12万～30万円	ホームの定めた利用料プラス介護費用（要介護度によって異なる）。
民間施設	住宅型有料老人ホーム	○	外部のサービス事業者と契約して利用	入居一時金扱いで0～数千万円	約10万～50万円	人員配置基準、介護サービスの内容、場所、建物のグレードによって月額費用が異なる。
	介護付き有料老人ホーム	○	施設スタッフによるサービスを提供			
	サービス付き高齢者向け住宅	○	外部サービス利用（特定施設の場合は施設スタッフの介護に）	敷金扱いで0～数百万円		

※ 出所：老人ホーム紹介センター代表・看舎桂太さんが独自の調査・ヒアリングなどにより作成

介護

「費用」だけじゃない！
介護施設を選ぶ4つのポイント

「体験宿泊」など施設見学はマスト
予算は年金額を目安に

介護施設を選ぶときは、何をチェックすればいいのでしょうか。「終活サポート」もされているFPの鈴木暁子さんによると、**「入居や退去の要件を確認する」「事前に施設の見学や体験宿泊をしておく」「月々の支払額が年金額と乖離《かいり》しない施設を選ぶ」**ことなどが、ポイントだそう。

必ず行いたいのが、施設の見学。**介護施設は設備のスペックだけでなく、介護スタッフの入居者へのサービスや雰囲気も満足度に大きく影響します。**食事の介助を通じて、入居者とスタッフのコミュニケーションが垣間見られるランチタイムの見学がおすすめです。また、広い個室は一見魅力的に感じますが、要介護度が進んで寝たきりなどになった場合、ベッド以外のスペースは無用の長物となることも。先々、介護度が上がることを想定しながら、見学するようにしましょう。いずれにしても、資金面での背伸びは禁物。親の年金額が予算の一つの目安になります。

介護施設を選ぶ際のポイントは？

POINT 1

入居や退去の要件を確認

それぞれの施設によって、入居要件があるため、入居時の身体状況（自立／要介護認定されているか）によっては、希望しても入れないことがある。「終《つい》のすみか」にしたいと思っても、最期のときまでいられない施設もあるので、まずは入居要件や退去要件を確認しよう。

POINT 2

資金プランには余裕を持っておく

長生きして月額費用が払えなくなり、泣く泣く退去…ということにならないよう、余裕のある資金プランを立てておこう。比較的元気なら、外出などもできるので、お小遣いなどの費用も見込んでおく。目安としては、月々の支払額が年金額とあまり乖離しないこと。

POINT 3

必ず事前に施設の見学をする

パンフレットの内容と、実際に見学した印象が大きく異なることも。いくつも見学すると比較できるので、できるだけ多く施設を見学しておこう。最終決定前には、だいたいどこの施設も行っている「体験宿泊」をして、判断するのがおすすめだ。

POINT 4

人気の施設、高級な施設が良いとは限らない

周囲からの評判が良いから、施設使用料が高額だからといって、必ずしも親や自分の希望にマッチするとは限らない。口コミより、見学や体験利用で気に入るかどうかのほうが大事。最後は「自分たちに合っているか」で判断しよう。

介護

親、パートナー、自分のことも対策

早めにしておきたい「介護」の準備

「介護離職」しないために情報収集と親との対話を

将来直面するかもしれない介護のため、親が元気なうちに準備できることはたくさんあります。**介護離職しなくて済むよう、介護休暇・介護休業などの支援制度を調べておくこと**もその一つ。同僚に制度を利用した経験者がいれば、利用する上でのコツや、仕事と両立する上でのアドバイスを聞いておくといいでしょう。

また、「お金の話」について、親と気兼ねなくできるようにしておきましょう。最初はお互いに抵抗感があるかもしれませんが、**親の資産と年金で介護費がまかなえなければ、自分が相当な負担をすることを覚悟しなければなりません。**年金額によって、介護サービスを利用する際の自己負担率も変わってきます。親との対話のほか、既婚者であれば「実の親の介護はそれぞれが担当し、パートナーはそのサポートをする」など、介護への関わり方について話し合っておきましょう。

介護の準備と心構えチェックリスト

親の介護

- ☑ 勤務先の介護支援制度のルールや使い方を確認する
- ☑ 介護休業や介護休暇を取った同僚がいれば、話を聞いてアドバイスをもらっておく
- ☑ 親と「お金の話」ができるようにしておく
- ☑ 利用地域の介護サービスについて調べてみる
- ☑ 親がどういう介護を望んでいるか、希望を聞いてみる
- ☑ 既婚の場合は、それぞれの親の介護について夫婦で話し合っておく
- ☑ 親に、預金口座などは管理ができる程度にまとめておいてもらう
- ☑ エンディングノートなどを活用し、大切なことを記録しておくよう頼む
- ☑ 遠距離・別居の場合は、親の住まいの近所に挨拶し、救急車で運ばれた際などの緊急連絡先を伝えておく
- ☑ ビデオ通話・ネット通販などのツールに慣れておいてもらう

パートナー＆自分の介護

- ☑ お互いに健康維持・認知症予防に努める
- ☑ 自分が先に「要介護」状態になったときのことも考え、家事や地域の情報を相手と共有しておく
- ☑ お互いに介護の希望と経済的な現実を共有しておく

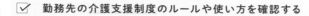

相続

〝争族〟にならないよう心の準備を

〝ありがち〟な相続トラブルを回避しよう

「トラブルのもと」を想定して家族と相談しておこう

「遺産のトラブルなんてお金持ちの話でしょう」と思っていても、いざとなると揉めるのが「相続」。遺産分割事件として、裁判所の調停が成立した件数のなかで、相続財産１０００万円以下が約３割、５０００万円以下が約76%を占めるというデータもあります（令和元年度 裁判所「司法統計」より）。左の「相続トラブルあるある」、もしかしたら心当たりがある読者もいるのではないでしょうか？

想定されるトラブルを回避するには、**親に「遺言書」を作成してもらうという対策が王道です**。誰に何を相続させるのか、内容が明示されていれば、遺産の分割も比較的スムーズに進みます。**相続税は相続発生から10カ月以内に納める必要があるので、実は揉めている暇はあまりありません**。

相続対策として、最近は生前から資産管理を「契約」という形で取り決めておく「家族信託」（p.118）も注目を浴びています。

相続トラブルあるある3選

“田舎の親の資産が山や土地など、ほぼ不動産。きょうだいと分けられるのか心配”

遺産の全部、または一部が不動産であり、分割するのが難しいケース。遺産が現金や有価証券などであれば分割できるが、土地や建物などの不動産の場合、簡単に分割することができないため、不平等感が生まれやすい。不動産をもらう相続人が、他の相続人に相当な額の現金を払う必要が出てくるなど困難を伴うことも。一方、資産のなかに田舎の山林など全く資産価値のない土地があったときは、きょうだいで押し付け合うことになったり、高速道路などの開発の対象区域になると価格が上がるので、一転して奪い合いになったりもする。

“シングルの私が同居の母を介護。きょうだいのなかでも、私に遺産が多く渡るように「遺言書」を書いてくれたけれど…”

遺言の内容が特定の相続人に偏り過ぎているケース。被相続人が「一緒に住んで世話をしてくれた人に手厚く財産を相続させたい」と考え、遺言書にしたためるのは自然な成り行きだ。一方で、他の相続人からは「納得が行かない」と不満が出るのもよくあること。さらに、たとえ遺言書があったとしても、民法で保障されている他の相続人の権利である「遺留分」(p.116) まで侵害することはできないため、「遺言書通り」にならない可能性もある。

“姉夫婦は何度も親から援助を受けているのにシングルの私はゼロ。正直言うと遺産はその分、多くもらいたい!”

これは、「親からの援助がきょうだい間でバラバラ」のケース。「マイホームを購入するとき」「子ども（孫）の教育資金」などで親からの援助を受けることも多いが、そのようなライフイベントに該当していない場合、親から資金援助を受ける機会がない。遺産分割の段階でそれを引き合いに出して、資金援助を受けていないきょうだいが取り分を多く主張し、揉めるケースが多い。

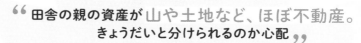

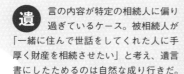

相続

相続税、法定相続分、遺留分…

押さえておきたい「相続」の基本

遺言書がない場合「法定相続人」で話し合って分割

遺言書がない場合は「法定相続人」が話し合い、全員が合意して初めて、相続が行われます。法定相続人は、配偶者のほか、子ども、父母、きょうだいの順で上位者が優先されます。その際に、**相続割合の目安として民法で決められているのが「法定相続分」です。**また、遺言書があっても、関係者全員の同意がなければ相続はできません。**不公平な遺産分割があった場合にも、法定相続人が最低限相続できる財産の割合が「遺留分」です。**

相続税の「基礎控除額」も頭に入れておきましょう。基礎控除額は「３０００万円＋６００万円×法定相続人の数」で計算。亡くなった被相続人の財産（預貯金や株式、不動産など）から、債務や葬儀費用などを差し引いたものが「正味の遺産」。**この額が「基礎控除額」の範囲内であれば、申告や納税は必要ありません。**法定相続人がいない場合、その財産は遺言に従って遺贈され、遺言もない場合は原則として国庫に納付されることになります。

最低限知っておきたい相続キーワード

法定相続分

相続人が配偶者と子どもの場合、
配偶者に2分の1、
残り2分の1を子どもたちで分ける

遺留分

相続人が配偶者と子どもの場合、
全体の遺留分は2分の1。
それぞれの遺留分は配偶者が4分の1、
子どもたちが4分の1を分割

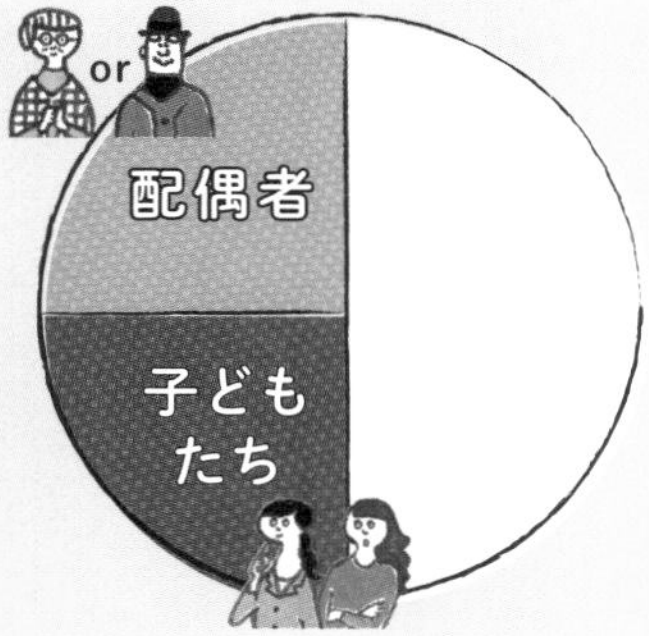

相続税

相続税の基礎控除額 ＝ 3000万円 ＋ 600万円 × 法定相続人の数

残された家族が妻と子ども2人の場合、3000万円＋600万円×3＝4800万円 が基礎控除額*。

遺産が4800万円までなら相続税はかからない！

＊ 基礎控除額を超えた部分にかかる相続税は、実際の取得割合に応じて割り振られ、各種控除が適用される。

相続

専門家のサポートがあり安心

「家族信託」と「おひとりさま信託」

家族が元気なうちに準備 トラブルを未然に防ぐ効果も

親が認知症になった場合、不動産を含む資産の売買や、預貯金の引き出しが難しくなります。そこであらかじめ、**「信託契約」を結び、財産に関する家族の希望を形にしておくのが「家族信託」です。**例えば、親が所有するアパートの管理を子どもに託し、父親が元気なうちは家賃収入を父親に、亡くなったら母親に生活費として渡し、両親の死後はアパートを子どもが継承する…といったことを、当事者と家族の了解のもと、「契約」として実現します。司法書士など専門家のサポートが必要なため、費用と時間はかかりますが、相続トラブルを未然に防ぐ効果も期待できます。

また、最近は**シングルが自分の死後のために準備する「おひとりさま信託」も注目されています。**信託銀行に300万～500万円ほどを託し、葬儀や埋葬、訃報の連絡などの死後の事務を依頼するサービスです。託した財産は費用で相殺されそうですが、安心は得られるかもしれません。

家族信託の仕組み

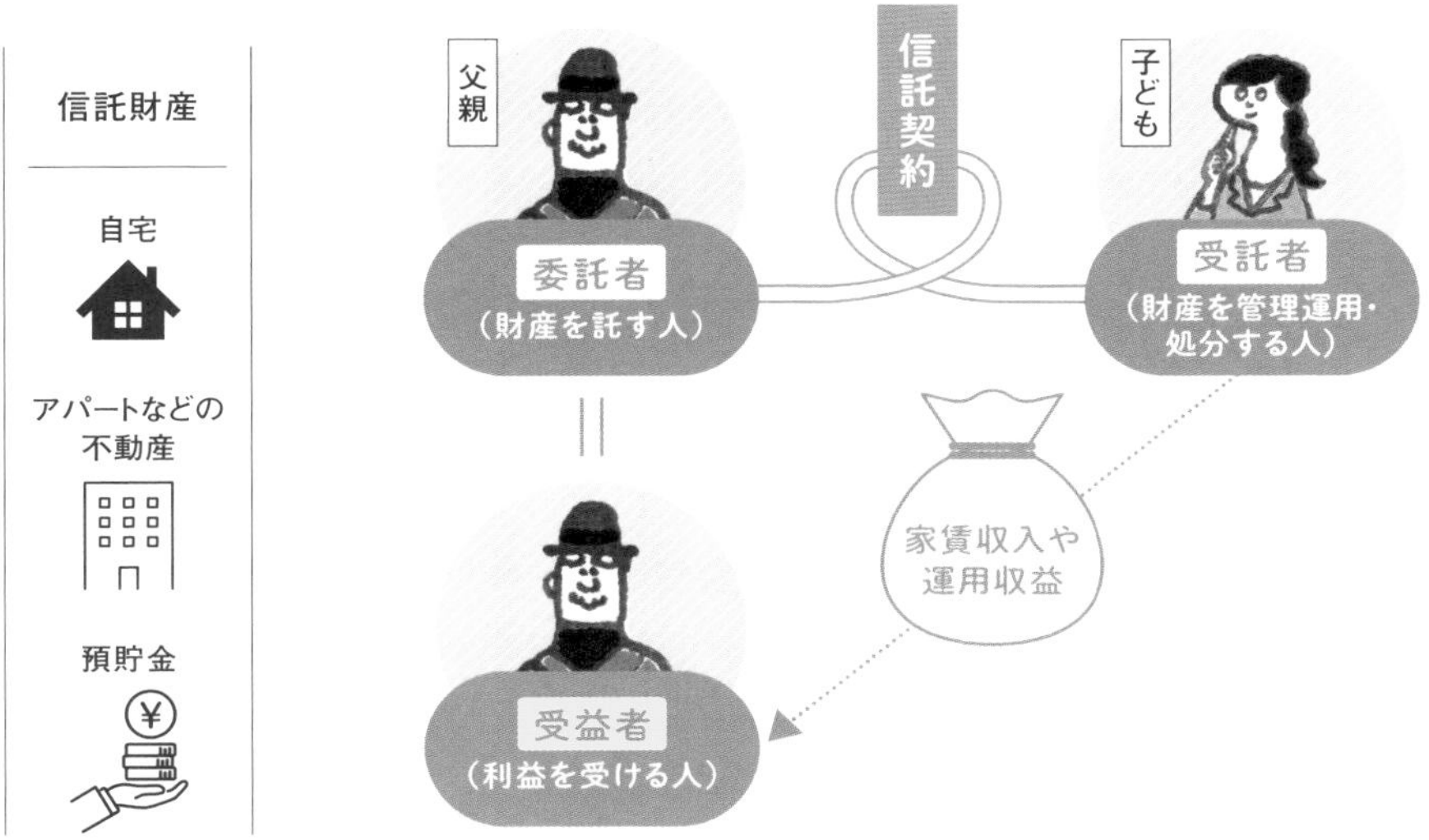

遺言の機能を持たせた家族信託の仕組み

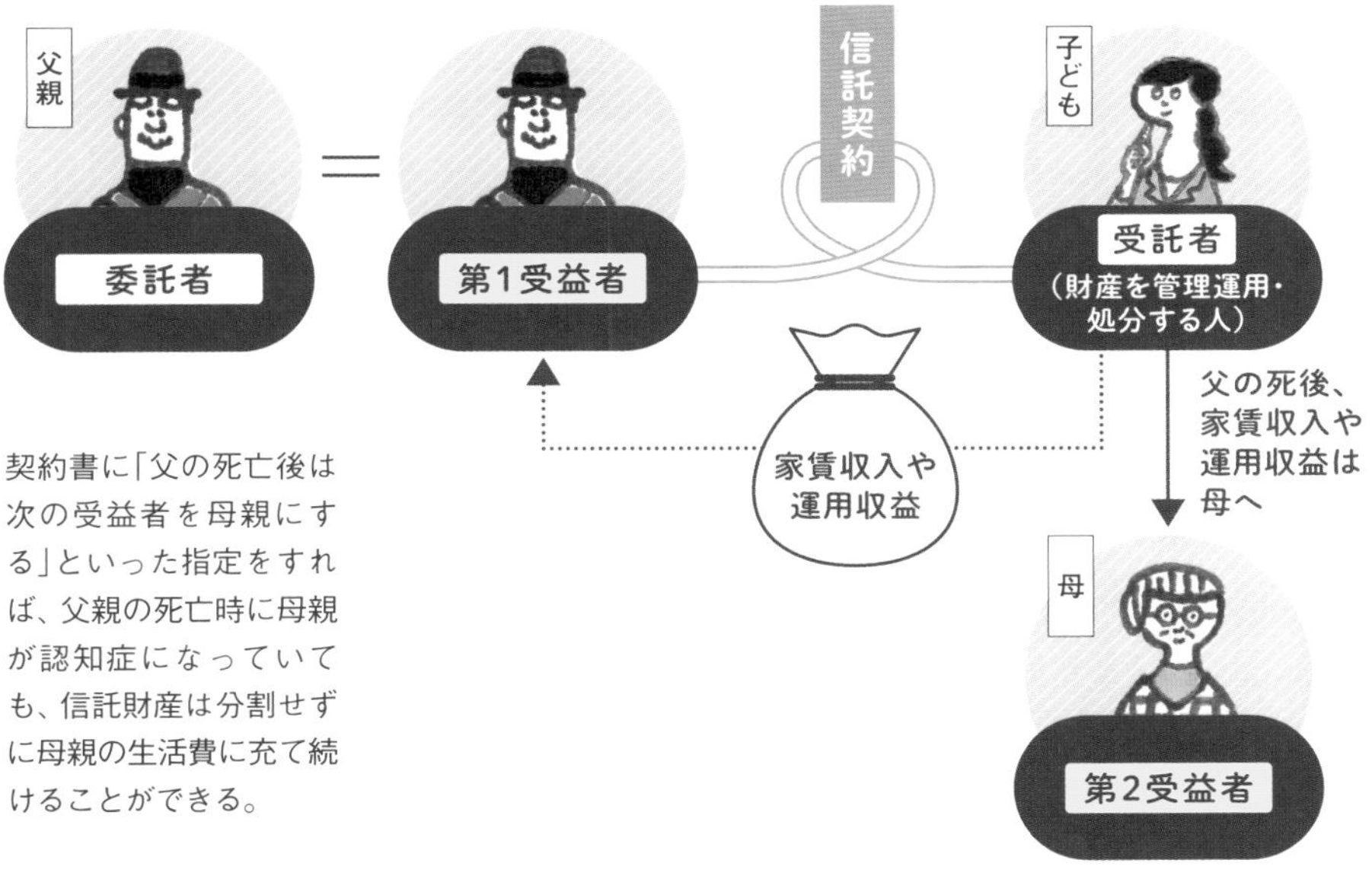

契約書に「父の死亡後は次の受益者を母親にする」といった指定をすれば、父親の死亡時に母親が認知症になっていても、信託財産は分割せずに母親の生活費に充て続けることができる。

COLUMN #4

遠隔地に住んでいる親の「ITスキル」を底上げしておこう

私自身も、これまで「遠距離介護に本格突入か」という事態に何度か直面。その経験からおすすめしたいのが、親が元気なうちに、「ITスキル」を底上げしておくことです。**タブレットなどを使ったネット通販に慣れてもらったり、ZoomやFaceTimeを通じた「ビデオ通話」ができる**ようになると、とても助かります。車の運転をしない高齢者には、「大人用オムツ」などのかさ張る買い物は大きな負担です。しかし、それを頼んで子どもや他人の手を煩わせることは、親にとってはさらに精神的な負担になります。ネット通販ができれば、お互いの負担になりません。「ビデオ通話」は親の表情を見ながら話せるので、音声だけの数倍の情報が得られます。顔が見られる安心感もあり、コミュニケーションが弾みます。また、**きょうだいがいれば、LINEグループをつくって細かいことも瞬時に共有**できると、介護のフォーメーションも組みやすいはず。介護を1人で抱え込まないためにも、ITは大いに活用するべきだと思います。

PART

5

60歳以降も幸せに働き続けるヒント

定年後は仕事を引退する——そんな固定観念に縛られていませんか?
60歳以降も働き続けることで、収入面での安心はもちろん、
「人とのつながり」や「やりがい」も得られます。
やりたいことや好きなことを軸に、60歳からのキャリアを考えてみましょう。

定年後も働き続ける3つのメリット

「お金の不安」を解消 健康保持や生きがいも

「老後はノンビリ過ごしたい。あくせく働きたくないよ」と考える人も多いかもしれません。しかし、**「収入」は日々の生活を支えてくれると同時に、自分が「世の中に必要とされている」と実感させてくれるもの**でもあります。こういったものを急に失うと、喪失感や孤独感を覚え、心が不安定になってしまうこともあります。

逆に、定年を迎えても働き続けるシニアは、仕事を通じてやりがいや居場所を確保できます。仕事という形でなくても、ボランティアや趣味のサークルなど、世の中とつながりのある場を持つことが「心のハリ」にも。**シニアの就業率の高い地域ほど、医療・介護費用が低い**ことから、健康面にもプラスの影響があることが分かります（左ページ）。また、年金以外の収入は、経済的な不安の解消にもつながります。「自分らしい働き方」ができる老後を目指して、今から少しずつ、準備をしていきましょう。

定年後も働き続けたほうがいいのはなぜ？

長く働き続けたほうが健康でいられる

65歳以上でも就業率が上がるほど医療・介護費はダウン

●65歳以上就業率と医療・介護費の関係図

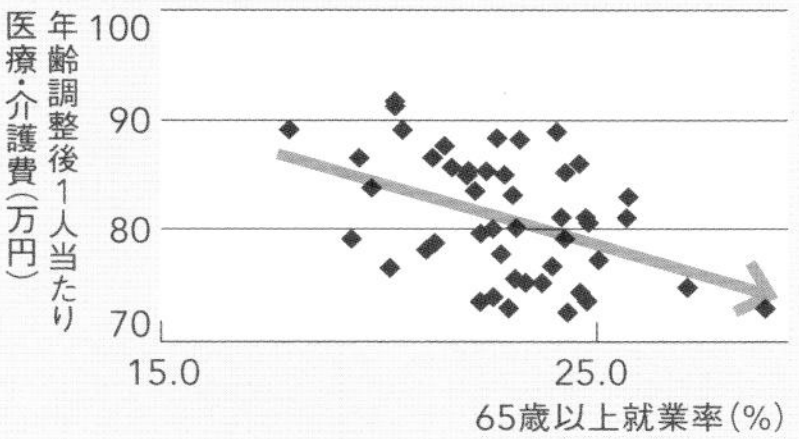

「都道府県ごとの65歳以上就業率」と「1人当たり医療・介護費」(年齢調整後)には、負の相関がある。

※ 出所:平成30年第6回経済財政諮問会議 資料5

自宅や職場以外の「サードプレイス」が重要

働くことを含めた社会活動が楽しみや生きがいに

●60歳以上の社会活動の状況(男女計・一部抜粋)

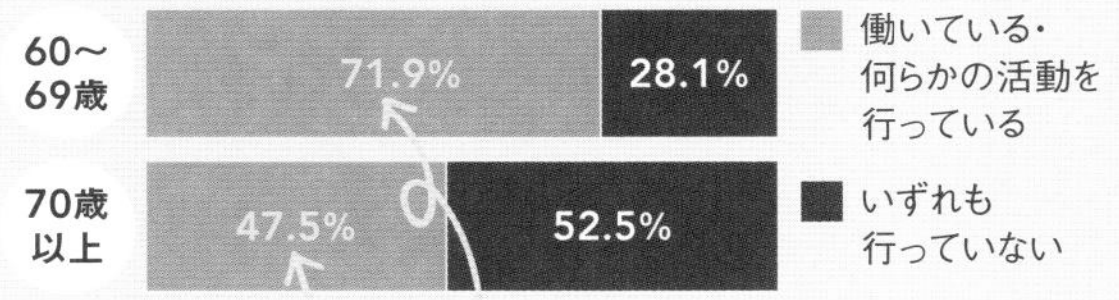

仕事を含め、ボランティアや地域社会活動(町内会、地域行事など)、趣味やお稽古事をしているシニアが多数。

※ 出所:厚生労働省「平成28年国民健康・栄養調査報告」

年金以外の収入で長生きリスクに対応

働き続ければ「年金の繰り下げ」もできる

公的年金は受け取りを65歳より遅らせると…

1カ月繰り下げるごとに**0.7%ずつ増額**

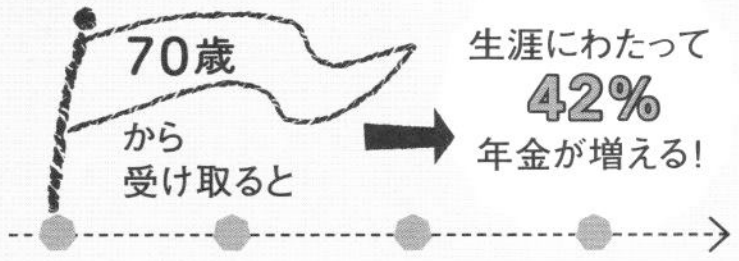

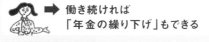

「再雇用」で働く

慣れ親しんだ環境で働けるので安心

再雇用とは、正社員という雇用形態が定年と同時に終了した後、**年単位の契約社員などの形で本人の希望に基づき、再度雇用する制度**です。勤務日数を複数のタイプから選べることが多く、大企業を中心に60歳以降の雇用形態として、多くの企業で用意されています。

職場の雰囲気や同僚、仕事内容など、勤務する会社に愛着がある人には、慣れ親しんだ環境で働き続けられることがメリット。一方、**雇用形態が変わることで責任や権限が減り、給与が下がったり、正社員のときには当たり前だった処遇が受けられなくなったりする可能性もあります。**

ただし、60代前半の雇用者数が増え、そのモチベーション維持が会社業績にも影響を与えるレベルに達していることから、正社員に近い責任と処遇（退職金制度を除く）とする企業も増加中。後輩の上司に仕えることをいとわず、与えられた業務を着実にこなせるタイプにおすすめです。

定年後の働き方

再雇用

Check!

➡ 私は再雇用に向いている？

✔ 当てはまる項目をチェック！

- [ ] 現在、勤務している会社に愛着がある
- [ ] 環境の変化がストレスになるタイプだ
- [ ] 60代になったら没頭したい趣味がある
- [ ] 社外の人と話したり、遊んだりする機会がほとんどない
- [ ] リーダーより「縁の下の力持ち」の役割が得意

To do

➡ 再雇用で働くと決めたらやっておくべきこと

1 事前に会社側とよく話し合う

どの部門で働くのか、何を求められているのか、どこまでの責任があるのかなどを会社に確認しておこう。

2 業務知識をアップデート

かつて学んだ知識は陳腐化している可能性が高い。業務関連の知識や動向などはアップデートを怠りなく。

3 「その後の居場所」を考えておく

年齢が高くなるほど新しい挑戦はしづらくなる。再雇用終了後の65歳以降の居場所づくりは60歳から開始。

money plan

大江's suggestion

再雇用後の収支について整理しておこう

「現在勤めている会社で継続的に働く」といっても、「再雇用」となると、働き方次第で給与やボーナスが大きく下がることも多い。住居費の高い首都圏に住んでいたり、まだ子どもの学費がかかる世帯だったりする場合は、月次収支が赤字に陥るケースも。会社が行うリタイアメントセミナーなどに積極的に参加し、情報収集をしておこう。退職金や公的年金、現在の蓄えだけでやっていけそうか、退職金はいつ受け取るのがいいか、事前にシミュレーションしておくことが大事だ。その上で、「再雇用で提示される働き方」からベストなものを選択しよう。

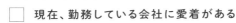

キャリアを生かして転職

気分も一新！ 新天地で キャリアとスキルを生かす

これまでのキャリアを生かし、新天地でチャレンジしたいなら転職がおすすめ。自分の専門領域だけにとどまらず、前任者の後釜として何事にも柔軟に対応できるタイプが好まれます。

かつての転職市場では「35歳限界説」もささやかれていましたが、『リクルートキャリア』の調査（＊）によると、**近年は40歳以降の女性の転職が増加中。「職種・業界をまたいだ転職」も多くなっているようです。**女性マネジャーの求人についてはコロナ禍による影響はあるものの、管理職に一定の女性比率を求める流れは変わりません。昨今はテレワークが増え、オフィスに長時間拘束される働き方も変化。業務をきちんとこなし、業績が上がれば、私生活とのバランスの取り方はより柔軟になる傾向にあります。シニア転職する場合は焦らずにしっかりと情報収集を。やりたいことや自分の希望に合った会社をリサーチしましょう。

＊2009年～13年の平均を1とすると、40代女性の転職者数の伸び率（2018年）は全年代男女の約7倍に。（出典：『日経xwoman/ARIA』記事より。リクルートキャリア・リクルートエージェント転職決定者数データ）

定年後の働き方

転職

Check!

➡ 私は転職に向いている？

✔ 当てはまる項目をチェック！

- [ ] 環境を変えて新天地で仕事をしてみたい
- [ ] キャリアを他の会社でも生かせそう
- [ ] 仕事内容とスキルが合致する「ジョブ型雇用」があるべき働き方だと思う
- [ ] 処世術にはたけているほうだ
- [ ] 会社以外に本音トークできる友人がいる

To do

➡ 転職・再就職で心がけておきたいこと

1 「何で貢献するのか」明確に

業務範囲だけでなく、「求められる役割」も明確に。それ以外については、相手から意見を求められるまで口を挟まない。

2 前の会社のやり方を引きずらない・押し付けない

「前の会社では…」というフレーズは、新しい職場の人たちに「自分たちを否定されている」ように受け止められる場合も。

3 新しい価値観を受け入れる

仲間に加えてもらうという姿勢が大事。新しい価値観は「まず肯定」から。受け入れてみて、分かることもある。

money plan

大江's  suggestion

確定拠出年金は転職先に持ち運ぼう！

老後の資金として、大切な退職金。働いているうちは収入があるため、「確定給付企業年金」は、可能ならば前職を辞める際に受け取らず、60歳以降に受け取る選択がおすすめだ*。また、制度として60歳まで「持ち運び」が義務づけられている確定拠出年金は、企業型・個人型（iDeCo）とも、必ず届出事項の変更などの手続きが必要となる。退職して半年以内に手続きしないと、積み立てた資産が自動的に現金化され、毎月、手数料分が目減りする「自動移換」（p.92）となることに。転職を決めたらすぐコールセンターに電話して、必要書類を送ってもらうようにしよう。

＊ 一定の勤続年数に達している場合、退職時に精算せず、据え置きできるケースがある

ＮＰＯ・コミュニティービジネスに参画

社会的課題に取り組む 昨今は「有償」の団体も

社会や地域の課題解決をするＮＰＯ団体などに関心があれば、積極的に関わるのも定年後の働き方の一つです。昔はボランティアといえば「無償」というイメージでしたが、しっかりした活動のためにも「有償」で人材を求める団体が増えています。求められるスキルもさまざまで、**団体の活動に関する専門的知見や経験だけでなく、サイト制作や業務マニュアルの作成をはじめ、資金管理や経理の経験が喜ばれるケースもあります。**

最近は「プロボノ」といって、職業上持っている知識やスキルをボランティア活動に生かす取り組みも。例えば、認定ＮＰＯ法人「サービスグラント」では、課題解決を依頼する社会活動団体に対して、異なる専門性を持つ社会人チームを派遣。期間限定のプロジェクト型で支援する取り組みをしています。「関心はあるけれど、ボランティア活動はやったことがない」という人は、こうしたことからチャレンジしてみてはいかがでしょうか。

定年後の働き方

NPO・コミュニティービジネス

Check!

➡ 私はNPO・コミュニティービジネスに向いている？

✔ 当てはまる項目をチェック！

- □ これからは社会の役に立つ活動をしたい
- □ 新しい価値観や仲間もいい刺激になりそうだ
- □ 年齢に関係ないフラットな組織が好き
- □ 学び直してスキルアップすることをいとわない
- □ 経済的な不安はそれほどない

To do

➡ NPOで働くと決めたらやっておくべきこと

1 活動内容と継続できるかどうかをチェック

「継続して携われるか」という視点で、活動内容だけでなく、資金や人という組織的な面も冷静にチェックしておく。

2 自分が責任を負える範囲なのかを確認

やりたい気持ちや使命感が先立つと無理をしがち。自分がどう関わるか、責任を持って関われる範囲なのかを判断。

3 地域密着は「逃げ場」がないことを意識

活動が「これ1本」だと、万が一のトラブルの際につらい。趣味や他の活動など複数の居場所を確保しておこう。

money plan

大江's  suggestion

収入面では **期待しすぎない** ことが肝心

有償のNPO団体も増えてきているとはいえ、一般企業で働くような水準の給与が支払われることは期待しにくい。退職金や公的年金だけで生活できるかどうか、冷静にシミュレーションをしておこう。もし、経済的に厳しそうであれば、再雇用で働きながらボランティア活動に参加するという選択肢も。

「やりたいこと」で起業する

経済的なハードルを超えれば「生涯現役」も夢じゃない

起業は、「やりたいこと」や「好きな仕事」などが明確にあり、それを誰からも拘束されることなく、自分の裁量で自由に仕事をしてみたい人に向いています。

ただ、起業してすぐに安定収入が得られるようなケースはまれ。顧客を得るための地道なPR活動をいとわずできること、さらに事業がたとえ失敗したとしても経済的には困らないことが前提条件となります。経済的に厳しそうな場合、**現在の勤め先が副業を認めているようなら、「再雇用で一定の収入を得ながら、やりたい仕事を副業として起業する」ことも一つの手。**そうすれば、自分のペースで軌道に乗せていくことができるはずです。再雇用終了後は、起業した事業をメインの仕事として、自分がやめると決めたそのときまで、「やりたいこと」を続けることができます。いずれにしても、定年のない「生涯現役」は起業した人のみの特権です。

定年後の働き方

起業

Check!

私は起業に向いている?

✔ 当てはまる項目をチェック!

- [ ] 会社という組織に束縛されず、やりたい仕事や活動がある
- [ ] 稼げなくても年金などで暮らしていくことができる
- [ ] 未知の環境や新しい出会いにワクワクするタイプだ
- [ ] 人に頭を下げることをいとわない
- [ ] よく「マメだね」と言われる

To do

定年後の「起業」で心がけたいこと

1 ローリスク&ミドルリターンを目指す

収入増や事業の拡大を目指すよりも、「やりたいこと」を仕事にすることに注力。借金はしない。

2 「生涯現役」もOK! 引退時期を自分で決めよう

「雇われの身」ではないので、引退時期を自由に決めることができる。「細く長く」働くことも可能。

3 「やりたいこと」ならずっと続けられる

「好きなこと」や「やりたいこと」が仕事であれば、前向きなパワーが出て、いつまでも楽しく続けられる。

money plan

大江's suggestion

事業に回す資金はここまでという線引きを!

起業したもののお金に困って、「自分がやりたくない仕事」を引き受けた結果、苦労することになっては、元も子もない。最悪の事態を想定し、「事業が失敗したとしても、これまでの蓄えと退職金・公的年金で生活していくことができるかどうか」ということだけは、必ず確認しておこう。借金をしなければならないような事業は、シニア起業としてはリスクが高すぎるのでおすすめできない。また、自営業やフリーランスの場合、これまで会社に任せていた申告や納税を自分で行う必要がある。「税に関する基礎知識」も、あらかじめ勉強しておくようにしよう。

フリーランスで業務委託契約を結ぶ

「得意」を磨いて専門家になり取引先として契約する

「業務委託」とは、**従来の勤務先や仕事上の取引先などと「業務委託契約」を結び、仕事を請け負う働き方**です。２０２１年4月に施行された「高年齢者雇用安定法」では、70歳までの就業機会の一つとしても挙げられています。例えば、記者や編集のスキルを活用してフリーの編集・ライターとなったり、園芸や野菜作りが得意ならホームセンターの園芸コーナーのアドバイザーとして働いたり…といったように専門知識や経験が生かせます。ネット上で知識やスキル、経験を売買する「ココナラ」などをのぞくと、自分が「得意」とすることの市場価値が分かると思います。

注意点は、業務委託契約は年度更新が多く、そのタイミングでバッサリと契約を切られる可能性があること。また、これまでの勤務先で業務委託契約を結んだとしても、「再雇用」のように雇用保険や厚生年金保険の対象にはならないので、注意しておきましょう。

定年後の働き方

フリーランス・業務委託

Check!

➡ 私はフリーランス＆業務委託に向いている？

✔ 当てはまる項目をチェック！

- □ 専門性が高い業務に携わってきた
- □ 「ウンチク」を語れるレベルの趣味がある
- □ 組織の一員であることにあまり興味がない
- □ 知識・経験は常にブラッシュアップしている
- □ 契約書などはきちんと読むほうだ

To do

➡ 業務委託で働くと決めたらやっておくべきこと

1 高い専門性を維持する努力を

報酬は自分の専門性への対価。その分野で認められるレベルの知識とスキルのブラッシュアップが必須。

2 語れる実績をつくっておく

専門性や能力を証明するために実績として示せるものや経験があるとよいので、準備しておこう。

3 同業をしている先輩に話を聞く

業務委託は契約パターンや相場などが表立っては分からない。先輩となる同業者に話を聞いて、参考にしよう。

money plan

大江's suggestion

会計や税務の基本を勉強しておこう

サラリーマンの間は会社にお任せだった税務関係を、すべて自分で行わなければならないので注意。便利なツールはたくさんあるが、使いこなすには基本ルールを知っておく必要がある。税金に関することは、国税庁のホームページなど信頼できる情報源から確認する姿勢も大切だ。業務委託は「契約書」が命綱。きちんと読んで不明点を問い合わせ、「納得した上で契約する」ことをくれぐれも忘れずに。

現役時代からできる「心の筋トレ」

「レジリエンス」を日々高めよう

状況が変わっても前向きになれる「心の柔軟性」が鍵

コロナ禍のなか、**「変化を前向きに捉えられる心の柔軟性＝レジリエンス」**こそが大事だと再認識しました。皆さんが仕事を続ける上でも、異動で全く想定外の職場や業務の担当になったり、後輩の下で働くことになったり、管理職に急に抜擢されたり…。環境変化に直面したときは「心の持ちよう」を変えて、適応する力を発揮してきたはずです。

それでも、会社という枠組みのなかでの変化は、波に例えれば「プールのなかの波」。**定年後は仕事を続けるかどうかに関わらず、そこには「会社の枠」を超えた大海が広がっています**。活躍できる場はグンと大きくなりますが、想定外の大波が来て、これまでとは違った危機や変化に見舞われることも。定年後に新たな波がやってきたとしても、その波に身を任せて柔軟にチャレンジできるようにしておきたいものです。ぜひ、今から「心の筋トレ」を心がけて、レジリエンスを高めておきましょう。

レジリエンスを高める3つの習慣

あれこれ考えず、まず動く!

「ちょこっとチャレンジ」が大切。通勤経路を変えたり、気になった店をのぞいてみたり、関心があるテーマの本を買ったり、習い事を始めたり…。ちょっとしたことから道が開ける。

「自分で自分を褒める」習慣を

他人と比較しないのがコツ。以前の自分と比べて少しでも動けたなら、たとえ失敗しても、チャレンジできたことをプラス評価しよう。自己肯定感が、次のチャレンジにつながる。

やりたいことや好きなことを周りに発信

自分がやりたいことは、「言語化」することで明確になる。誰かに話しているうちに思考が整理される効果も。情報や人との縁を呼び込むことにもつながる。

CASE 1

65歳で再雇用

佐藤マリさん

（仮名・66歳）

エン婚活エージェントクライアントサクセス部
オンラインコンシェルジュ・嘱託社員
福岡県在住
3LDKの持ち家マンションにひとり暮らし

働き方を変えて60歳で大学へ「学ぶ力」で自立した66歳

義母の介護から手が離れた49歳で、保険会社で入力業務のバイトを始めた佐藤マリさん。だが、正社員と同様に働いても報酬が低く、52歳で転職を決意。採用の年齢制限を超えた企業に熱い思いを伝え、正社員の座をつかんだ。65歳の定年を過ぎた今も婚活のオンラインコンシェルジュとして働く。

年齢層の若い職場に同水準の月収で再雇用された理由は、数々の資格を取り、60歳で大学に編入するなど、自分で立てた目標を達成する力を評価されたこと。「成長意欲が強く、若い人のなかでも環境が変化しても柔軟に対応できます。退職後は学んだ知識を生かし、ボランティア活動を始めたいです」。

定年後も生きがいを持って暮らすコツは?

コツ 興味があることは試してたくさんの趣味を楽しむ

一眼レフで風景を撮影したり、デジタル楽器・エアロフォンを習ったり、地元若手落語家の落語会を楽しんだり。「希望の業務に就けず悔しかったとき、趣味に救われました」。

コツ やり残したことにチャレンジする

箱根駅伝で優勝した青学に感動し、憧れの4年制大学の受験に挑戦。1カ月間、小論文を猛特訓し、3年次に編入。「20代と学び、吹奏楽サークルにも入ってかけがえのない経験に」。

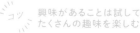

1カ月の家計簿は?

収入 約29万4000円

手取り月収	約22万円 (手取り年収約260万円)
国民年金＋厚生年金	約7万4000円 (年約89万円/65歳から受給)

貯蓄 6万円

つみたてNISA	3万円

現在の資産

貯蓄・投資額	約800万円
3LDKの中古マンション	購入時 約500万円

支出 約20万3100円

食費	5万円
水道・光熱費	8500円
携帯・通信費	1万3000円
日用品代	5000円
交際費	1万円
服飾・美容費	1万5000円
趣味費	2万円(観劇、旅費など)
学び代	1万5000円(新聞、参考書など)
医療費	5000円
保険料	1万8100円(医療保険、介護保険)
交通費	3500円
その他	4万円 (管理費、寄付金、税金、予備費)

佐藤さんのLife history

20歳 短大卒業後、広島の百貨店販売員として勤務

25歳 退職して上京し、翻訳の学校へ

28歳 結婚

29歳 長女出産

31歳 次女出産　手取り月収約15万円

34歳 埼玉で義父母と同居。英会話教室を開く

43歳 OAスクールに1年半通う　エクセル1級、ワード3級などを取得。姑が認知症に

49歳 外資系保険事務パート(時給1200円)に　手取り月収約16万円

52歳 ベンチャーの結婚相談所に正社員として入社　産業カウンセラー、キャリアコンサルタントなど資格を取得

60歳 離婚。立教大学コミュニティ福祉学部3年次に編入　働き方を土日勤務のアルバイトに変更

62歳 学年トップの成績で卒業。正社員に復帰　63歳で社会福祉士の資格取得

65歳 定年後、嘱託社員として再雇用。娘の結婚に伴い、福岡でマンションを購入してフルリモート開始。年金受給開始

人生の先輩に聞きたいQ&A

Q 若い人と一緒に働くコツは?

A 柔軟性を大切に自己成長を楽しむ

「転職して未経験の職種だったので、プライドも固定観念もなく、年下から手取り足取り教えてもらいました。常に新しい情報や知識を得ようとし、若者との会話も楽しんでいました」

Q 再雇用されるには何が必要?

A 目標を自分で立てて諦めない気持ち

「60歳で大学に入学し、卒業後に社会福祉士の資格を取るなど、年齢に関係なく、『なせば成る』を体現したことで、周囲の評価が上がり、信用も得られたことが大きいと思います」

Q 60歳までに何をすべき?

A 今できることを考える

「結婚、子育て、介護でキャリアを諦めたり、やりたいことができなかったり。でも周囲や環境のせいにせず、『今、できる学び』などを考え、努力を惜しまないように頑張って!」

コツ 年代が異なる仲間をたくさんつくる

会社も大学も年下の仲間だが、活力をもらい思考の幅も広がった。若い顧客に寄り添うこともでき、異動で5年半コンシェルジュ業務を離れたものの、65歳で通算100成婚を達成。

構成・文/高島三幸　写真/桑田和志

CASE 2

55歳で正社員に転職

小川幸子さん

（仮名・61歳）

ビルメンテナンス業・人事労務
広島県在住
2LDKの賃貸にひとり暮らし

50代から「定年後」を準備 55歳でパートから正社員に

60歳で離婚し、新たな人生をリスタートした小川幸子さん。「子育ても終わって一段落し、〝妻〟を卒業しました」。

〝60歳になったら自分の人生を生き直そう〟と決め、50代から準備。やりがいのある職で経済的な自立を目指そうと、パート時代に培った労務のスキルを高め、55歳で正社員に転職。老後のための積み立てを50歳から始め、10年で目標額を達成した。61歳から受給中の厚生年金+企業年金の一部は貯蓄にまわし、収入内でやりくり。健康のため3食自炊し、運動と睡眠にも気を配る。

「定年後は自分へのご褒美としてフランス旅行を計画中。新しいことに挑戦する気持ちを持ち続けていたいです」

定年後も生きがいを持って暮らすコツは？

コツ

週1回のヨガ教室でホルモン治療をやめた

50歳のときに更年期障害で体調を崩し、生活習慣を改善。「筋トレなどを試した結果、ヨガが一番自分に合っていたみたい。体と心のメンテナンスを兼ね、10年間継続中」。

コツ

心の支えは、学生時代の友人たちとの「女酒会」

中学時代の仲良しグループ5人組で“女酒会”を結成し、旅行やグルメを楽しんでいる。「今はコロナで会えないのでSNSで頻繁に交流。なんでも話せる女友達は、一生の宝物です」。

1カ月の家計簿は?

収入 約17万5000円

手取り月収	約16万円 （手取り年収約240万円）
厚生年金 （報酬比例部分） ＋企業年金	約1万5000円 （年約18万円／61歳から受給）

※65歳から国民年金＋厚生年金（月約9万円）と個人年金保険（月約5万円）を受給予定。70歳から養老保険（月約4万円）を受給予定

貯蓄 5000円

現在の資産

貯蓄	約800万円

支出 約17万円

住居費	7万円
食費	2万5000円
水道・光熱費	1万円
携帯・通信費	7000円
日用品代	1000円
交際費	5000円
服飾・美容費	1万2000円
趣味費	5000円（野球観戦など）
医療費	5000～1万円
保険料	2万円（生命保険、火災保険）
その他	5500円（スポーツジム会費）

小川さんのLife history

- 20歳 短大卒業後、銀行に入行して普通預金業務を担当
- 24歳 結婚・退社
- 25歳 長女出産
- 27歳 次女出産
- 32歳 長男出産
（夫の仕事で転勤族に）
- 38歳 小売業のパート事務職で社会復帰（時給約710円）
- 48歳 ビルメンテナンス会社のパート事務職（時給約810円）に転職
（人事・労務の知識やスキルを学んで高める）
- 50歳 更年期障害で婦人科に通院、治療開始
- 50歳 老後資金の積み立てを開始
- 51歳 ヨガを始めて心身の安定に！
- 55歳 同業他社の正社員に転職
（4社受けて現在の会社に合格。65歳に定年予定）
- 60歳 老後に対する価値観の違いで離婚。初のひとり暮らし
- 61歳 厚生年金＋企業年金（約1万5000円）を受給開始

人生の先輩に聞きたいQ&A

Q 離婚してお金の不安は？

A 収入の範囲で暮らせるメドが立っている

「65歳から個人年金と国民年金、厚生年金で月14万円、70歳から養老保険も受給できるので、ひとまず老後のお金の不安は解消できています」

Q 定年後も働く？

A 親の介護の可能性を考え週2程度のパート勤務も検討

「定年後は、多少のゆとりと健康増進を兼ね、週2日ぐらいのパートで月数万円程度を稼げればいいなと思っています。親の介護の可能性も視野に入れ、定年までに考えるつもりです」

Q ひとりで寂しくない？

A 寂しがっている暇はない

「今後の人生、やりたいことがたくさんあるので、寂しがっている暇はありません。趣味のフラワーアレンジメントや、コロナが落ち着けば、美術館や博物館をめぐる旅行を楽しみたいです」

納豆、バナナ、チーズ、ヨーグルト、ナッツで若々しく！

毎日必ず食べるもの

コツ

週末作り置きで3食自炊。「太らない」が健康への近道

月の食費は2万5000円。週末に副菜を作り置きし、野菜中心でバランスのいい食事を実現。「病気のリスクを減らすため、朝は腸活、夜は糖質控えめで太らないように心がけています」。

取材・文／西尾英子　写真／宮川トム

CASE

3

60歳で地方へIターン

羽澄愛子さん

（69歳）

野菜ソムリエ・ファーム土里夢経営
高知県在住
6LDKの持ち家にひとり暮らし

農業研修をきっかけに高知へ移住 「地元野菜の魅力」を発信

子育てしながら食品メーカーに定年まで勤務した羽澄愛子さん。50歳のときに体調を崩し、数カ月休職した際に、「定年後」を意識し始めたそう。「東日本大震災の際にスーパーの棚から食品が消えたのを見て、自分でものを作り出す『農業』に関心を持つようになりました」。月に1回、「都会で学ぶ高知農業技術研修」に通い始め、定年後は研修のあった高知・四万十町へ思い切って移住。野菜を作る傍ら、カフェも開き、その魅力を発信する側に。現在はハウスきゅうり、ピクルス加工販売、高知野菜の宅配などに取り組んでいる。

“旬”が詰め込まれた地元野菜のセット。高知野菜の宅配にも取り組む。高知といえば、なすやキュウリが有名だが、フルーツトマト発祥の地でもある。

町の地域活性化施策を活用して、野菜カフェ「Vege Cafe 愛ちゃん家」を2年間経営。地元野菜の魅力を、再発見してもらう場に。

CASE 4

55歳から副業スタート

伊藤朋子さん（56歳）

電機メーカー勤務
東京都在住
4LDKの持ち家に夫と2人暮らし

会社員と味噌造りの講師 “二足のわらじ”で定年後に備える

伊藤朋子さんは、定年を見据えた現役世代。50歳から中医学・薬膳・マクロビオティックを融合した「食医膳」を趣味として学び、日本古来の発酵食を自分で作る魅力に開眼。51歳のときに「伝統発酵醸師」の資格を取得し、味噌造りのワークショップを主催するようになった。発酵中の管理や食べごろなど、丁寧なフォローアップが評判でリピーターも多いそう。2019年には、会社が副業OKとなり、本格的に〝第二の仕事〟として考えるように。「現在は、定年後につながる仕事として確立するため、いろいろと試行錯誤中です」。

国際発酵食医膳協会が味噌造りなどを通じて、麹や発酵の魅力、中医学の知識、食の大切さを伝える指導者を認定する「伝統発酵醸師」を取得。

黒豆などを使った寒仕込み味噌やひよこ豆の白味噌のほか、身体の不足を補い、滞りを解消するなど、中医学に基づいた「薬膳美甘味噌」も人気。

取材・文／大江加代（p.140～141）

「第2のキャリア」の始め方

自分が快適に過ごせる「居場所」をつくっておこう

「会社」という枠組みから解き放たれて、イキイキと過ごしているシニアの共通点は、「自分が快適に過ごせる居場所」を持っていること。「幸せが感じられる」「充実感が得られる」「夢中になれる」……そんな瞬間が味わえる場や仲間をたくさん持っているようです。

居場所づくりの一つとして、「好きなことを仕事にして長く関わる」という選択肢もあります。**これまで得たスキルで「できること」、「世の中から必要とされること」を棚卸しして、「好き」と重なる部分があなたにぴったりの「仕事」となります。** p.136〜141で実例として登場した皆さんも、実際の行動に至るまでは躊躇《ちゅうちょ》したり、イメージと違ったりしたこともあったと思います。まずは、勇気を出して一歩を踏み出してみる。さらに、「こんなことが好き」「こんな活動をしている」と公言することも、〝良いご縁〟を呼び込むきっかけとなります。

定年後の「居場所」をいくつもつくろう

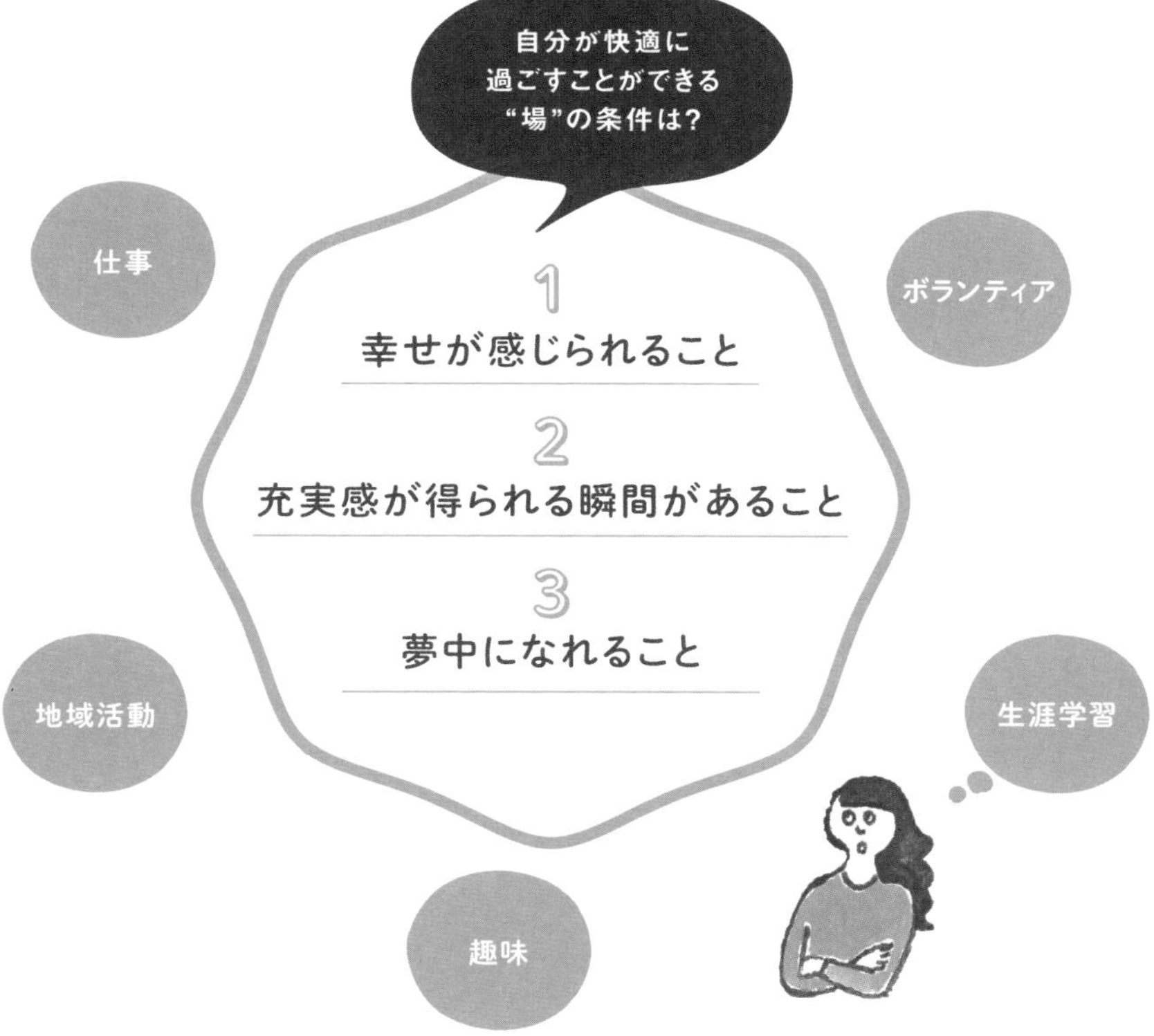

3つが重なる部分がぴったりの「仕事」になる

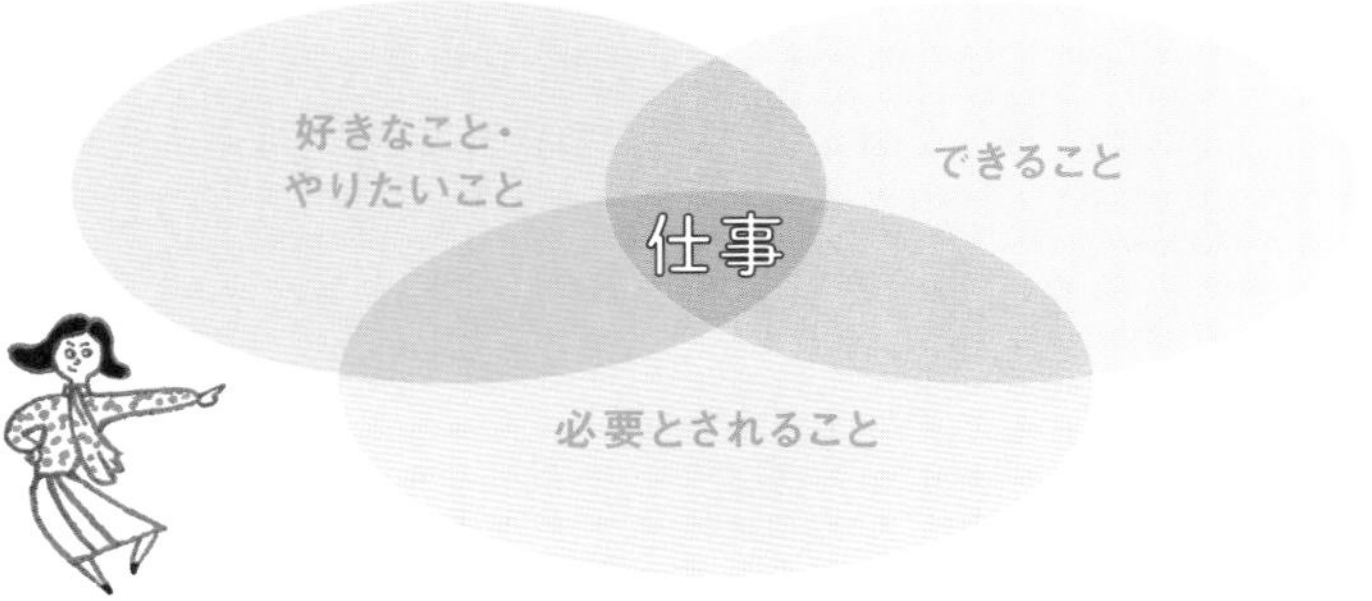

COLUMN #5

老後を見据えて40代から「第2のキャリア」を試行錯誤

第2のキャリアを模索するため、私が一歩を踏み出したのは45歳のとき。退職前は金融機関に勤務し、ライフプランセミナーの講師も務めていたので、チャレンジしてうまくいかなくても、暮らしていけるということだけは、入念にチェックしました。一方で、新しいキャリアとして目指した「食」の分野については、今思えば「在職中にもっと十分な情報収集をするべきだった」と反省。しかし、何事もやってみなければ分からないもの。失敗や新しい出会いから得たものは大きく、私にとっては「財産」となりました。失敗するなら若いほうが、いろいろなダメージも小さく、方向転換もしやすいと思います。**新しいキャリアを考えているなら、まずは近づいて、自分に向いているかをリサーチ**。心が決まったなら、躊躇《ちゅうちょ》なくチャレンジしてほしいと思います。年齢を重ねるなかで、「人生で一番若い日」はいつも今日。やりたいことがあるのなら今、その一歩を踏み出してみて！

PART

6

現役時代＆
退職前後に

心がけたい お金の10ルール

1章から5章にかけて詳しく解説した定年後の暮らしとお金。
具体的なイメージは湧いたでしょうか?
現役時代と退職前後に心がけたい準備について、
最後にもう一度、おさらいしておきましょう。

現役時代の「資産形成」ルール

保有資産ともらえるお金を“見える化”しよう

現役時代は、生活費や子どもの教育費、住宅ローンなどを支払いながら、老後のための資産形成を並行して行うことになります。

「老後に必要なお金」は不確定要素も多いので、心配が先走り、準備すべき額を膨らませがち。そうすると、今の暮らしを圧迫することにもなりかねません。まずは、自分が保有している資産や、将来もらえることが決まっているお金に目を向けてみましょう。**社内の積み立て、金融機関の口座にあるお金、国からもらえる年金、会社の退職金や年金として想定される額、これらをすべて書き出してみます。**もしかすると、資産を〝見える化〟するだけで暮らしぶりのイメージが湧き、老後のお金の不安が消えるかもしれません。

その上で、次のページからご紹介する「5つのルール」に取り組んでもらえれば、きっとお財布の負担も心も重くなりすぎず、資産形成ができるようになると思います。

家計簿を付けて無駄をあぶり出す

rule 1

資産形成をスタートする際の〝原資〟には、無駄な支出を充てるようにしましょう。

収入が高い人ほど無駄な支出が多い傾向があります。家計簿を付ければ、通っていないスポーツクラブの会費や、使っていないスマホアプリなどの「無駄」が見えてくるはず。

こうした支出を資産形成に回せば、日常の楽しみをガマンすることなく、将来のための資産形成ができます。「家計簿アプリ」にクレジットカードや電子マネーを紐付けして、手間をかけずにお金の流れを把握しましょう。

詳しくは…

「支出を減らす家計改善」はp.30〜31へ

現役時代

rule 2

「保険」は必要最小限にする

家計の収支改善の筆頭に挙げられるのが「保険」。不必要な医療保険や生命保険などがないか、再度チェックしてみましょう。

そもそも「保険」は、「めったに起こらないけれど、もし起きたら大きな経済的負担になってしまうこと」に対して備えるものです。そこから考えても、公的な制度で相当な部分がまかなえる高齢期の入院や医療に対して、高額な保険料を払い続ける必要はありません。

老後の医療には、保険でなく「貯蓄」で備えるようにしましょう。

詳しくは…
「老後の医療費」はp.98〜101へ

現役時代

rule 3

退職金・企業年金・公的年金の受取額を知る

退職後に「国や会社からもらえるお金」をまず把握してから、自分が用意する目標額を見定めましょう。

公的年金は「ねんきんネット」、または「ねんきん定期便」で確認。勤め先の退職金や企業年金については、担当部署に問い合わせたり、ライフプランセミナーに出席したりして情報収集をしておきます。

国からもらえる年金でほぼ毎月暮らせるならば、老後のお金については、それほど心配しなくてもいいでしょう。現役時代に老後の収支を「見える化」しておくことが、お金の不安を解消します。

詳しくは…
「老後の収支の“見える化”」はp.18～27へ
「公的年金はどれくらいもらえる?」はp.74～79へ

iDeCoや国・会社の資産形成制度を活用

現役時代

rule 4

「運用益が非課税」など、資産形成を応援する仕組みのある、国や会社の制度を調べて徹底的に活用しましょう。税制面などで優遇されている分、手取り額が大きくなります。

老後資金のためのiDeCoや年金財形、住宅取得やリフォーム費用のための住宅財形のように、目的に沿った引き出しのみ認められる制度は、着実に資金を準備できるのがメリット。NISAやつみたてNISAは引き出し制限がありませんが、「投資」が利用の条件です。目的や条件が合う制度を組み合わせて、賢く使いましょう。

詳しくは…
「資産形成に有利な制度」はp.38〜39へ
「iDeCoの基本・始め方」はp.40〜51へ

rule 5

積み立てで貯蓄や投資を仕組み化

「資産形成の仕組みをつくる手続き」は、面倒に感じるかもしれませんが、先延ばしせずに早めに取り組みましょう。

見えないところで必要な積み立てが毎月自動的に行われていくので、「今の生活費を取り分けておき、将来のために備える」という行為も苦にならず、結果的に長続きするからです。

これを実現する仕組みの代表格が、給与からの天引きや銀行口座からの積み立て。「資産形成の王道」といえるので、貯蓄や投資の際には、ぜひ活用しましょう。

詳しくは…
「積み立てで老後資金をつくる」はp.36～37へ

「退職金」を無駄にしない

退職前後の「資産管理」ルール

年金&退職金を有効活用
老後の働き方も考えよう

「定年退職」は、サラリーマンにとって人生の大事件。安定収入がなくなったり、給与の水準が大きく変わったりするので、「お金の使い方」を見直す良い機会ともいえます。わが家も夫が退職する数年前から夫婦で家計簿を付け、定年退職後の働き方・暮らし方について話し合いました。

さらに「退職金」の受け取り方など、決めなければならないことも山積み。人生初の出来事の連続のなか、納得のいく選択をするためには、**①選択肢を比較、②分からなければ、どんなに細かいことでも確認、③「定年退職」＝「終わり」ではなく、新しいステージの始まりだという前向きな気持ちで決断**――この3つを心がけることをおすすめします。

退職後は、お金も時間も「自分にとって大切にしたいこと」や「必要なもの」にシフトしていくことが、充実したシニアライフにつながります。次のページからご紹介する「5つのルール」をぜひ参考にしてみてください。

退職前後

退職金で投資デビューしない

rule 6

退職金は老後の生活を支えるための大切なお金です。投資に大金を投じて失敗してしまうと損も大きくなり、取り返しがつかないことに。投資をするならなるべく若いうちに、少額で「投資デビュー」をしておくことが大事です。商品性がよく分かっているものを選びましょう。

また、退職後も、これまでの経験を通じてたどり着いた自分の投資スタイルを継続することをおすすめします。大金を手にすると、「何かしなくては」と焦りがちですが、運用先に迷う場合はすぐに投資せず、まずは貯蓄として置いておくといいでしょう。

詳しくは…

「老後資金は得意な方法で増やす」はp.32～33へ

rule 7

可能な限り、働き続ける

収入を増やすには、「役職や業績を上げて、給与やボーナスアップ」という方法もありますが、そう簡単な話ではありません。

しかし、1カ月でも長く働けば、収入は確実に増えます。例えば、月15万円稼げれば1年で180万円、5年で900万円となります。65歳までの収入が「ある」と「なし」では大違いということを実感することでしょう。65歳以降も月5万円稼げるならば、貯金を取り崩さず楽しく暮らせる可能性がグッと高くなります。シニアだからと諦めず、健康であれば「働き続ける」ことを目指しましょう。

詳しくは…
「定年後も働き続けるメリット」はp.122〜123へ
「定年後の働き方パターン」はp.14〜17、p.124〜133へ

節約よりも まず 「無駄」をなくす

rule 8

退職前後の数年間は、それまで家計簿を付けてこなかったという人も、ぜひ一度チャレンジしてみることをおすすめします。家計を洗い出せば、現役時代に必要だったものでも、不要となる支出が必ずあるはずです。

例えば、人に頼んでいた庭木の剪定《せんてい》を自分で行ったり、野菜作りを始めたり、移動の手段をバスから徒歩に変えて健康維持に役立てたりと、退職後の暮らしに合わせてお金のかけ方は調整できます。楽しいことを我慢する「節約」ではなく、「無駄な支出をなくす」ことが収支改善のポイントです。

詳しくは…
「支出を減らす家計改善」はp.30～31へ

rule 9

「感情」と「勘定」を混同しない

人間は好感を抱いている人物が言うことは「正しい」と思いがちです。

例えば、金融機関の営業担当者が熱心で印象がいいからといって、提案される金融商品が良いものとは限りません。服や靴を選ぶように、金融商品も自分が必要としている商品かどうか、すでに保有している資産との相性はいいのか、自分でメンテナンスできそうか、などを冷静に見極めるようにしましょう。「自分には理解できない、合わないと思うときは、遠慮なく断る」ことが、トラブル防止につながります。

詳しくは…

「資産運用は誰に相談？」はp.62〜63へ

rule 10

「分からないもの」に手を出さない

金融商品は白物家電と似ていて、「複雑であるほど、使わない機能がたくさん付き、壊れやすくて高い」という傾向があります。

購入する金融商品の仕組みがよく分からない場合は、販売金融機関に率直に尋ねてみましょう。自分のお金が何に投資され、どうなると儲かるのか、またどれくらい損する可能性があるのか。金融機関には説明義務がありますので、遠慮は無用。説明を聞いても理解できないとすれば、商品自体が複雑すぎるということです。その場の雰囲気に流されて、安易に買うことがないように注意しましょう。

詳しくは…
「投資信託のキホン」はp.52〜59へ

special
夫婦対談

PART
7

人生100年時代、“理想”の老後を送るには

リアルな体験談も満載！

確定拠出年金アナリスト
大江加代

経済コラムニスト
大江英樹

大江加代のパートナーである経済コラムニストの大江英樹は、
定年後の資産形成や資産運用のスペシャリストとして、
講演や執筆などの活動をしています。
豊かなシニアライフを送るために「今できること」を2人の視点で語ります。

special

夫婦対談

確定拠出年金アナリスト
大江加代

経済コラムニスト
大江英樹

男女雇用機会均等法の第1世代が「定年」間近に

——本書『「サラリーマン女子」、定年後に備える。』は、「働く女性の定年後」がテーマです。「男女雇用機会均等法」が施行されて35年。均等法第1世代がもうすぐ定年を迎えるなかで、どういう問題意識を持ってこの本を作られたのでしょう。

大江加代（以下、加代）　私が証券会社で働き始めたころは、「寿退社」する女性も多かったのですが、最近は定年まで勤め上げる女性が増えてきました。一日の大半を会社で過ごし、40年近くまじめに働いてきた女性たちです。一方で、定年を迎えて急に時間がぽっかり空いても「何をすれ

サラリーマンの
定年後を応援したい

経済コラムニスト
大江英樹（おおえ・ひでき）

大手証券会社を退職後、独立。シニア層向けライフプラン、資産運用、企業年金、行動経済学などをテーマに書籍やコラムを執筆する傍ら、全国で年間130回を超えるセミナーや講演を行っている。主な著書に『定年男子　定年女子』（共著、日経BP）、『定年前　50歳から始める「定活」』（朝日新書）、『定年前、しなくていい5つのこと』（光文社新書）。

取材・文／澤田聡子　写真／洞澤佐智子

ばいいんだろう」という戸惑いがある。**これまで時間もエネルギーも仕事優先で頑張ってきただけに、自分のやりたいことや好きなことが、分からなくなっている面もあると思うんですよね。**

大江英樹（以下、英樹）　私が定年を迎えて妻も会社を退職した後、2人で「オフィス・リベルタス」という会社を立ち上げたんですが、企業理念は「サラリーマンがリタイアした後に本当の『自由』を得て幸せな生活を送れるよう支援すること」なんです。

加代　夫と起業した2012年ごろは、同じ「定年」というテーマでも男性向けの書籍の執筆や講演が多かったのですが、10年近くたった今、多くの女性がそのステージに上り始めている。私は今54歳ですが、周りのサラリーマン女性たちがまさに「自分の定年後」について考えているんですよね。でも、**話を聞いてみると皆さん、二言目には「お金のことが心配」と言うんです。**

英樹　サラリーマンは会社の退職金も国の年金

確定拠出年金アナリスト
大江加代（おおえ・かよ）

「定年」を迎える女性が
周りに増えてきた

「仕事の筋力」を長年培ってきた
サラリーマン女子は、
ポテンシャル十分。
定年後のキャリアも暮らしも、
準備しておけば大丈夫！

もあるし、過剰に心配しなくても大丈夫なんですけどね。

加代　ずっと仕事を続けてきて「仕事の筋力」だって付いている。**そのポテンシャルを思い切り生かせるよう、老後のお金の不安を解消して、前向きに自分の60代・70代の暮らしをイメージしてほしい**と思い、この本を執筆しました。

英樹　２０１４年に『定年楽園』（きんざい）という本を出してセミナーを開いたときに、大手電機メーカーのグループ会社で部長を務められていた西村美奈子さんという方がいらしたんですよ。その出会いから３年後に早期退職されて、定年後の女性に向けたセカンドキャリア支援の「Next Story」という会社を立ち上げられたんです。印象的だったのが「私は仕事が大好きなんで、ずっと続けていたいんです」という言葉。「周りにそんな仲間も多いんです」とおっしゃっていて、目を開かされる思いでした。セカンドキャリアという意味でも「女性の定年」というテーマは、これから注目されていくんじゃないでしょうか。

加代　**「お金」というハードルがなくなると、働き方にも幅が出る。**安心してチャレンジできるようになると思います。

悲観派も楽観派も問題を「先送り」している

――老後のお金に対しては、「なんとなく不安」な悲観派と「なんとかなるだろう」の楽観派で分かれますね。

英樹　**悲観派と楽観派は、「老後に関心がない」という点で実は根っこが同じなんですよ。**リタイアメントセミナーで「皆さん、老後は不安ですか？」って聞くと、多くの人が手を挙げる。「なるほど。じゃあ、皆さんは自分が年金をいくらもらえるか知っていますか?」と聞くと、誰も手を挙げない（笑）。

加代　悲観派も楽観派も、「問題を先送りして見ていない」というところでは一緒なんですね。

英樹　「自分の定年後のケースはどうなのか」ということを全く確認していない、という点では同じなんです。**年金をどれくらいもらえるのか、という「収入」の部分と、老後にどれくらい生活費がかかるのか、という「支出」の部分が分かっていれば、今から対策できる**じゃないですか。「不安だけど、関心がない」のはおかしいですよね。

加代　毎年、誕生月に送られてくる「ねんきん定期便」すら開けずにそのまま、という人もいますね。50代後半のリタイアメントセミナー参加者に家計簿を付けているかどうか聞いても、付けていると答える方はだいたい全体の2割程度です。

英樹　**私たち夫婦も、私が定年を迎える前に2年ほどかけて老後の収支を「見える化」しましたよ。**家計簿を付けるときは、スマホの家計簿アプリを使えば、銀行に振り込まれる収入をはじめ、カードや電子マネー経由の支出の記帳・費目分けが自動でできて、手間がかからない。家計簿といっても身構えなくていい時代です。

加代　家計全体の支出は夫婦で出し合わないと分からない。既婚であれば、定年前の家計チェックは必ず2人でやるようにしましょう。

勤務先の企業年金や退職金制度を調べておこう

――夫婦で定年後のお金の情報共有をするにあたって、「これだけはチェックし

老後が不安…なのに、
自分の年金額や老後にかかるお金を
知らないのはおかしい！
不安を先送りせず、お金のことは
今から「見える化」しておこう。

ておいたほうがいい」ということはありますか。

英樹　サラリーマンであれば、やはり会社の退職金制度については、パートナーと情報共有しておいたほうがいいと思いますね。例えば私の場合、60代前半に特別支給の老齢厚生年金（＊1）があったんですよ。これは繰り下げができないので、そのまま受け取るしかない。他は、通常の厚生年金と基礎年金、会社の企業年金。**それぞれ金額はいくらで、私が死亡した後は遺された妻にどうやって支給されるのか…など、すべて調べて受け取り時期と金額の一覧表を作ったんです。**

加代　夫の企業年金には保証期間（＊2）があったのですが、保証期間内

面倒だな～と思うお金のことは
FPなどプロの手をどんどん借りて。
パートナーがいる人は
夫婦で定年セミナーに参加しよう。

＊1 1961年4月1日までに生まれた男性または1966年4月1日までに生まれた女性の場合、60歳以降65歳になるまで受け取れる可能性がある。

に受給者が亡くなるのと、保証期間の終了後に亡くなるのでは金額にかなりの差が出るんですよ。そうしたことも含めて7パターンくらいシミュレーションしました。本書でも解説しましたが、企業年金や退職金は条件によって、いろいろなケースがあるので複雑なんですよね。

英樹　会社によって制度が違うので、なるべく早いうちから理解しておいたほうがいいですね。どこの会社も定年2～3年前にはリタイアメントセミナーをしますから、そこでしっかり聞いておきましょう。

加代　**パートナーがいる人は、もし夫婦でこうしたセミナーに参加できる機会があれば、ぜひ一緒に行くことをおすすめします。**

英樹　夫だけが参加して、妻が「どうだったの？」って聞いても「んー、よかったよ」のひと言で終わったら、不安ですよね（笑）。

加代　面倒でなかなかスイッチが入らないお金の「見える化」作業は、リタイアメントセミナーなどの機会を有効活用するといいですね。家計や年金収入のチェックも含めて「お金を払ってもいい」と思えるようなら、FPなどの専門家に頼るのも一つの手です。

＊2 支給開始から一定期間については、受給者の生死に関わらず給付される。

50代後半になったら
自分の会社の退職金制度を
詳しくチェック！
公的年金を含めて
受け取り方を考えておこう。

退職時の貯蓄は150万円。だけど不安はなかった

——英樹さんはいろいろな事情で退職時の貯蓄が150万円しかなかった、と書籍などで書かれていますが、不安はなかったのでしょうか。

英樹　家計簿を付けて定年後にかかる生活費がだいたい分かっていたこと、受け取る退職金や年金額を「見える化」していたおかげで、貯蓄が少なくてもそんなに不安はなかったんですよ。**起業して一銭もお金が入らなかったとしても、年金収入だけでなんとか暮らしていけるだろうというメドが立っていましたし。**60代からの起業は30～40代の起業と比べるとリスクが少ないと思います。たとえ収入がゼロになっても、年金で暮らしていけばいいんですから。

加代　試算したなかで一番収入が少ないパターンでも、公的年金と退職金・企業年金を合わせれば「なんとかなりそうだね」と思えたから、起業に踏み切れたという面はあります。

英樹　退職金や企業年金は要するに「給与の後払い」なんです。会社が社員の定年後のために取り置いてくれている、貯金のようなものなんですよ。なかには「退職金前払い制度」にして、月々の給与に上乗せして払っている企業もありますが、「やったね！　給料増えたぜラッキー」とどんどん使っていたら……。

加代　……定年後に困ってしまうことになりますね。**日本の企業で退職金の制度があるのは約8割。裏を返せば、約2割は退職金をもらっていない**わけです。

英樹　自分の会社の退職金制度がどうなっていて、どれくらいもらえるのか、50代に入ったらチェックしておいたほうがいいですね。

退職金の運用で失敗し資産が半減する人も

――老後に「アンハッピー」になるのはどういうパターンでしょうか。

英樹　「お金」に関していえば、サラリーマンで「アンハッピー」になっている人はあまり見たことがないですね。例えば、共働きなら月にもらえる公的年金は2人合わせて約30万円。夫婦の生涯年金額は9000万円にもなるので、貯蓄が少なくてもカバーできます（＊3）。

加代　サラリーマンに多いのは退職金の運用で失敗するケースですね。

英樹　そう。**老後不安をあおられてよく分からないまま、複雑な金融商品を買い「退職金が半分になってしまった…」というパターンです。**

加代　昔よく聞いたのは、3カ月などの期間限定で高金利が付く定期預金と投資信託のセット販売。投資経験がないのに、高金利預金につられてリスクの高い投信を買ってしまい…というのはありましたね。

英樹　金融機関の窓口で勧められて、トルコリラやブラジルレアルなどの通貨選択型の投資信託に退職金を注ぎ込んで資産を減らしてしま

＊3 平均的な収入（平均標準報酬43.9万円）で40年間就業した場合に受け取り始める年金（老齢厚生年金と2人分の老齢基礎年金）の給付水準は月額22万724円（令和2年度）。そこから1人分の老齢基礎年金額6万5141円を差し引くと、単身者の厚生年金の額15万5587万円となる。共働きの場合、夫婦とも厚生年金に加入していることから、合わせて約30万円。夫婦とも90歳まで生きる場合、生涯の年金額は月30万円×12カ月×25年（65～90歳）で9000万円という計算に。

った人や、外貨建て個人年金保険で失敗したという話もよく聞きます。

加代　そもそも、今まで投資経験がない人が「退職金」という大金を、いきなり高リスク商品に注ぎ込んではダメ！

英樹　若いころから少しでも投資をやっていれば、「マーケットが暴落しても慌てて売っちゃいけない」ということが経験上分かるはず。

加代　投資初心者がリーマンショックのような暴落を初めて経験したら、恐怖を覚えると思います。だからこそ、**月5000円からできるiDeCoなどの制度を利用して、若いうちから投資を始めることが大事。**たとえ損しても投資額が少額なら「勉強代」と割り切れます。

大事な退職金をよく分からない金融商品に注ぎ込まないで！
投資は少額から始めて練習し、自分に合った商品を選ぼう。

「自分らしくいられる場」をいくつか探しておく

――幸せな老後の条件には、他に何があるのでしょうか。

英樹　定年男性の場合、どうにもならないのが「孤独」なんですよ。会社を辞めて、ハッピーに過ごせるかは、〝人とのつながり〟にかかっている。だから、**私は「50代になったら会社の人間とはプライベートで付き合うな」って言っているんです（笑）**。

加代　女性の場合、ディープなことも含めて話せる友人がいるといいですね。「最後はみんなおひとりさま」と考えると、お金や健康、親の介護などを相談できる友人って必要だと思うんです。例えば、親の介護で困ったときに友人から「こういう介護サービスがあるよ」と教えてもらえることも。学生時代の仲間でも、趣味のつながりでも何でもいいので、愚痴を聞き、励まし合える関係の友人が何人かいると心強い。

英樹　「人とのつながり」は、定年後のキャリアにも関わってくると思います。

大事にしたいのは
会社以外でつくる「人とのつながり」。
愚痴を言い合える友人や
客観的に強みを指摘してくれる仲間を
持つことで、定年後の世界が広がる。

加代　**会社以外の友人が、それまで気づかなかった自分の得意分野や強みを教えてくれることもありますね。**野菜ソムリエの資格を取るとき、試験科目のなかにプレゼンテーションがあったんですよ。仕事でライフプランセミナーをやっていたので、プレゼンには慣れていたんですが、スクール仲間に「大江さん、プレゼン上手だね～」と言われて初めて、「あ、私ってプレゼンが得意なんだ」と気づいた（笑）。

英樹　会社以外の仲間だからこそ、客観的に強みを指摘してくれる。1人でキャリアの棚卸しをするより効果的です。人とのつながりをつくるには、好奇心を持っていろいろな場に参加してみることが大事ですね。

「再雇用制度」は事前の話し合いが肝心

――定年後のキャリアという点では、英樹さんは起業する前に会社の「再雇用制度」も経験されたそうですね。

英樹　シニア活用の制度は成熟してきているとは思いますが、当時はまだその仕組みがうまく機能していなかったんですね。立場があいまいで責任と権限がはっきりしないことや、周囲とのコミュニケーションが難しかったこと、必然的にテンションが下がって「仕事の筋力」がどんどん衰えそうなこと…など、私にはストレスを感じることが多かった。

加代　結局、60歳を過ぎてから起業しましたが、「もっと早く起業すればよかったね」って（笑）。

英樹　**再雇用制度を利用するなら、事前によく会社と話し合うことが重要ですね。仕事内容はどんなもので、責任と権限はどこまでなのか。**

加代　今は職務権限も明確にされていて、評価やボーナスも社員並み、という企業も、少ないながら出てきています。

——最後に、不安から解放され、自分らしいシニアライフを送れるよう、読者へのメッセージを。

英樹　**「べき論」と「ねばならない論」に惑わされちゃダメ。**好奇心を持って自分のやりたいことにどんどんチャレンジしましょう。「60歳」という区切りは決まっているのだから、それよりも前に興味のあることに近づいて、トライ&エラーをしておいたほうがいいと思います。

加代　**不安を抱えたままにしておくと、その〝モヤモヤ〟が脳のスペースを圧迫して、未来のことが考えられない**気がするんですね。本書を読んで、その「ぼんやりした不安」を、少しでも解消してもらいたい。幸せを感じられるシニアライフを送るための〝第一歩〟を、踏み出すお手伝いができればうれしいです。

確定拠出年金アナリスト
大江加代（おおえ・かよ）

大手証券会社に一般職として入社。その後、総合職への転換を経て22年間勤務し、その間一貫して「サラリーマンの資産形成」に関わる仕事に従事。退社後、紆余曲折を経て再び「サラリーマンの資産形成」をライフワークとして講演活動などを行う。確定拠出年金には日本での制度スタート前から関わり、2015年にNPO法人確定拠出年金教育協会の理事に就任。月間10万人以上が利用する「iDeCoナビ」を立ち上げるなどiDeCoの普及活動も行っている。厚生労働省社会保障審議会の企業年金・個人年金部会委員。主な著書は『図解 知識ゼロからはじめるiDeCo（個人型確定拠出年金）の入門書』（ソシム）。

「サラリーマン女子」、定年後に備える。

お金と暮らしと働き方

2021年6月7日　第1版第1刷発行

著者	大江加代
発行者	南浦淳之
発行	日経BP
発売	日経BPマーケティング 〒105-8308 東京都港区虎ノ門4-3-12
装丁	小口翔平＋加瀬 梓（tobufune）
本文デザイン	但野理香（ESTEM）
イラスト	おおの麻里
編集	澤田聡子 藤川明日香（日経WOMAN編集部）
印刷・製本	図書印刷

本書は『日経WOMAN』2020年12月号〜2021年4月号に掲載された記事を基に、加筆・修正して再編集しています。特別な記載がない限り、金利や制度、商品情報は2021年4月時点のものです。

ISBN 978-4-296-10956-2

本書籍に関するお問い合わせ、ご連絡は下記にて承ります。
https://nkbp.jp/booksQA